CW00393809

Mauro Pichiassi – Giovanna Zaganelli

Contesti italiani

materiali per la didattica dell'italiano L2

Guida per lo studente

Chiavi
soluzioni
ed esempi

Guerra Edizioni

M. Pichiassi G. Zaganelli:

Contesti italiani: Testo di base
Contesti italiani: 2 audiocassette
Contesti italiani: Guida per lo studente

3. 2.
1996 95 94

Fotocomposizione e stampa: Guerra guru s.r.l. - Perugia 1994

ISBN 88-7715-128-5

Premessa

Non sempre e non tutti gli insegnanti vedono di buon occhio il libro o il quaderno che contiene le risposte o le soluzioni degli esercizi del libro di testo. Strumenti didattici di questo tipo sono considerati didatticamente dannosi: perché interferiscono con l'attività di guida e di controllo propria dell'insegnante, perché rendono pigri gli allievi, i quali invece di eseguire da soli, magari sbagliando, un particolare compito o scoprire la soluzione appropriata, vanno a cercarla là dove è suggerita.

Queste motivazioni potrebbero essere comprensibili e accettabili, se per l'allievo l'attività di apprendimento è un "obbligo" cui è costretto da qualche ragione esterna, o se a tutti i costi lui non deve commettere errori e deve fare sempre bella figura. In una falsa ottica di "successo scolastico" si finisce spesso per ritenere che ogni mezzo od espediente per apparire "bravi" sia accettabile. Ma se l'apprendimento di una lingua è visto, pedagogicamente, come crescita dell'individuo, occasione di ampliamento dei propri orizzonti culturali attraverso il contatto con la lingua e la cultura di un altro popolo, e mezzo per comunicare ed interagire con persone di altri paesi, allora i ridicoli sotterfugi cui possono ricorrere studenti immaturi non hanno senso e non possono essere addotti come motivi sufficienti per il rifiuto delle "chiavi".

E' tenendo conto di queste ragioni generali e della particolarità di molte delle attività comprese in ***Contesti Italiani****, che abbiamo ritenuto non semplicemente utile ma quanto mai opportuna questa* Guida. *La gran parte delle attività suggerite in* Contesti Italiani *è, infatti, creativa e libera. L'allievo è spesso invitato a manipolare il materiale linguistico proposto, ad esprimersi in modo personale ed originale, a dimostrare, in altri termini, di aver fatto proprie certe conoscenze e di aver sviluppato quelle abilità che sono necessarie per un'appropriata ed autonoma espressione in lingua straniera. Accanto ad alcuni esercizi a risposta obbligata o chiusa ce ne sono, infatti, molti altri aperti a più di una soluzione. Si pensi, ad esempio, alle molte attività di riformulazione di frasi e concetti, di riorganizzazione di informazioni, di interpretazione di testi o di enunciazioni. Per questo tipo di attività non è pensabile dare una soluzione univoca: si ingannerebbe l'allievo, e sarebbe quasi impossibile dare tutte le possibili soluzioni che certe attività prevedono. Le dimensioni del libro delle chiavi non sarebbero, in questo secondo caso, quelle che vedete. Inoltre,* Contesti Italiani *suggerisce attività di libera produzione, orale o* *scritta, come riassunti, parafrasi, stesura di lettere o relazioni, raccolta di note ed appunti, composizioni e saggi, per le quali dare la chiave significherebbe contraddire la natura e la funzione delle stesse attività.*

Che cosa c'è allora in questa guida? E perché fare un opuscolo distinto dal manuale di base?

La Guida *presenta le chiavi degli esercizi che prevedono una risposta unica. Si indicano, ad esempio, gli elementi morfologici (preposizioni, forme verbali, pronomi, ecc...) necessari a completare le frasi o i testi proposti, oppure gli elementi lessicali da ricercare nel brano d'apertura che o hanno particolare attinenza con altre parole suggerite (sinonimia, antonimia, omonimia...) o presentano determinate caratteristiche a livello di struttura superficiale o a livello semantico.*

In questa Guida *ci sono le soluzioni di attività come: abbinare correttamente fra loro liste o gruppi di parole, di frasi o di informazioni, completare frasi o testi che presentano lacune, riorganizzare informazioni.*

Ci sono, infine, alcuni esempi di esecuzione di compiti di libera produzione. Si tratta, in questo caso, di risposte a domande specifiche, di riformulazione di frasi, di spiegazione di modi di dire, di interpretazione di testi o di affermazioni, o di costruzione di testi che siano una parafrasi o una sintesi del brano proposto. I testi qui proposti non devono, però, essere visti come la sola soluzione in base alla quale correggere o valutare l'elaborato dell'allievo, ma solo esempi con i quali confrontarsi. Per questo motivo e per intuibili ragioni di spazio, nella Guida *sono suggerite soltanto alcune risposte alle domande di comprensione e qualche esempio di riassunto.*

Questo libro non vuole e non può sostituire l'insegnante che, anzi, dovrà conservare il suo ruolo di guida e informatore. L'insegnante dovrà, infatti, fornire quelle ulteriori informazioni e nozioni che potranno aiutare gli allievi a meglio leggere ed interpretare il testo preso in esame, li guiderà a riesporne oralmente o per iscritto il contenuto, coordinerà e stimolerà le discussioni sulle varie tematiche che un testo può suggerire, integrerà le attività del libro con altre ritenute idonee in relazione ai bisogni linguistici degli allievi, al loro background culturale e ai loro interessi. Tutte cose, queste, difficilmente prevedibili nella fase di elaborazione di un manuale destinato ad un pubblico così vasto ed eterogeneo come quello di chi apprende l'italiano come seconda lingua o come lingua straniera. Ai dubbi che una forma linguistica o un tratto culturale potranno suscitare, ai quesiti che concretamente verranno posti dovrà far fronte l'insegnante con la sua preparazione, sensibilità, cultura e conoscenza della realtà in cui opera.

Questa Guida *non vuol fare concorrenza all'insegnante ma vuole essere uno strumento che affianchi ed aiuti l'insegnante stesso. Qui egli troverà con le soluzioni e gli esempi un'occasione di confronto ed uno stimolo a suggerire e trovare risposte ed attività alternative. Per qualcuno, forse, potrà costituire l'occasione di una scoperta o approfondimento di certi aspetti della lingua italiana considerati magari marginali o poco importanti o comunque trascurati.*

E' con l'intento di offrire, quindi, a studenti ed insegnanti d'italiano come lingua seconda o straniera un aiuto concreto che aggiungiamo al testo di base di Contesti italiani *questa* Guida per lo studente, *nella speranza che questa incontri il consenso dei destinatari.*

Gli autori

Sezione I RITRATTI

1. ALESSIA E MARCO

(da *Dalla parte delle bambine* di E. G. BELOTTI)
pagg. 22-28 di Contesti Italiani

A. COMPRENSIONE DEL TESTO

1. Informazioni specifiche

a. *"A." sta per Alessia e "M." sta per Marco.*

1. A. - 2. A. - 3. A. - 4. A. e M. - 5. M. - 6. A. e M. - 7. M. - 8. A. - 9. A. - 10. A.

b. - *Qui si suggeriscono esempi di risposte. Sono, infatti, possibili altre considerazioni e riflessioni sulla descrizione dei due bambini e la tesi dell'autrice.*

- Alessia viene descritta come una bambina vivace e autonoma; curiosa, sempre in movimento alla scoperta del mondo circostante, senza alcuna attenzione per il pericolo. Marco, invece, è docile e remissivo, affettuoso e dolce, cerca sicurezza e affetto dagli altri.

- L'autrice sostiene che l'azione di incoraggiamento o di rifiuto di certi comportamenti dei bambini da parte degli adulti finisce per rinforzare nei bambini quegli atteggiamenti e comportamenti ritenuti più femminili o più maschili.

- La descrizione del diverso carattere e comportamento dei due bambini è funzionale alla tesi esposta alla fine: fin quando l'azione educativa degli adulti non interviene ad orientarli, i comportamenti dei bambini sono indifferenziati: bambini e bambine si comportano allo stesso modo, anzi, l'autrice presenta il bambino, Marco, come più dolce, più lezioso, o se vogliamo, più "femminile" di Alessia.

B. ANALISI LESSICALE E LINGUISTICA

1. Coerenza semantica

1. Era così stanco che a malapena *trascinava* le gambe. - 2. Signora, provi a *infilarsi* quest'altro paio di scarpe: sono comode. - 3. Per la rabbia lui *si sarebbe strappato (o si strappava)* i capelli. - 4. Riordiniamo le idee e *procediamo* con calma! - 5. Non ha una casa e *vagabonda* tutto il giorno per la città. - 6. E' un'ora che ti cerco: ma dove t'*eri cacciato*?

2. Verbi e ausiliari

1. Arrivare	*essere*	2. Camminare	*avere*
3. Procedere	*essere / avere*	4. Cadere	*essere*
5. Rialzarsi	*essere*	6. Ripartire	*essere*
7. Cacciarsi	*essere*	8. Vagabondare	*avere*
9. Esplorare	*avere*	10. Infilarsi	*essere*
11. Salire	*essere o avere*	12. Scendere	*essere o avere*

3. Parole solidali

- occhi : *acuti - azzurri - castani - grandi - lacrimosi - neri - piccoli - penetranti - rossi - smarriti - sottili - spenti - storti - turbati - verdi - vivi.*
- naso : *adunco - aquilino - camuso - grande - greco - lungo - piccolo - sottile - storto.*
- bocca : *grande - lunga - piccola - rossa - sottile - storta - stretta.*
- capelli: *bianchi - biondi - castani - corti - lisci - lunghi - mossi - neri - ondulati - ricci - rossi.*
- fronte : *alta - bassa - corrugata - grande - liscia - piccola - serena - spaziosa - stretta.*

C. ATTIVITÀ COMUNICATIVE

1. Descrizioni di personaggi

a.

	età	altezza	capelli	abbigliamento	segni particolari
criminale	40	1,73	neri corti	pantaloni marroni e giubbotto di pelle nera	tatuaggio sul polso sinistro

c. - *I nove disegni proposti a pag. 27, numerati muovendo da sinistra verso destra e dall'alto verso il basso, possono essere interpretati come esprimenti:*

1. grande sorpresa e disappunto o addirittura orrore - 2. perplessità ed incertezza - 3. vanità e compiacimento di sé - 4. severità ed intransigenza - 5. depressione e sconforto - 6. incredulità o scoraggiamento - 7. rabbia - 8. orgoglio e superbia - 9. impazienza.

* * *

2. VACANZE IN MONTAGNA

(da *Lessico Famigliare* di N. GINZBURG)
pagg. 29-32

A. COMPRENSIONE DEL TESTO

1. Informazioni specifiche

* *Ecco delle possibili risposte:*

I.a. Si occupava personalmente delle sue scarpe da montagna: le ungeva con grasso di balena e preparava l'attrezzatura necessaria per le ascensioni dopo averla cercata, con grande rumore e strepito, per tutta la casa.
b. Il giorno dopo era scontroso e irascibile a causa della stanchezza.
c. In genere da solo, qualche volta, invece, con la moglie e i figli.
d. Le rimproverava il fatto di essersi tagliata i capelli molto corti.

e. "Asino", nel linguaggio del padre, voleva dire persona sgarbata e maleducata; i figli, ad esempio, erano "asini" quando non rispondevano oppure rispondevano in modo sgarbato.

II.a. La madre, di fronte alle sfuriate del marito, se ne stava zitta e docilmente lo seguiva ovunque lui andasse, camminando dietro di lui e aiutandosi con un bastone.

b. La madre, in queste passeggiate, portava un piccolo bastone in mano, il maglione legato intorno ai fianchi e i capelli grigi tagliati molto corti.

B. ANALISI LESSICALE E LINGUISTICA

1. Polisemia

a. 1. [b] - 2. [c] - 3. [a] - 4 . [b] - 5. [b] - 6. [b]

b. 1. hai messo - 2. è stato espulso - 3. è finito (o è andato) - 4. mettersi - 5. tira fuori - 6. dare la caccia agli animali selvatici (o andare a caccia) - 7. ha fatto uscire (o ha mandato via) - 8. ha emesso - 9. ho messo dentro alla rinfusa

2. Gruppi semantici

1. martello - 2. aiuola - 3. mano - 4. maglione - 5. ascensione - 6. sfuriata .

3. Nomi sovrabbondanti

1. le labbra - 2. le mura - 3. i cigli - 4. le fila - 5. bracci - 6. i membri - 7. le ciglia - 8. i fondamenti.

* * *

3. LA BELLA SCONOSCIUTA

(da *Se la luna mi porta fortuna* di A. CAMPANILE)
pagg. 34-38

A. COMPRENSIONE DEL TESTO

1. Informazioni specifiche

b. 1. Il narratore tornava da *una città della Russia.* - 2. Ha visto per la prima volta la sconosciuta in *un ristorante di una stazione*. - 3. Durante il viaggio l'ha rivista *diverse (più) volte*. - 4. Il narratore era diretto a *Roma* - 5. La signorina andava *a Roma anche lei* - 6. La sconosciuta era figlia di *un'amica della madre del narratore*. - 7. Il narratore si è poi sposato *con la bella sconosciuta.*

B. ANALISI LESSICALE E LINGUISTICA

1. Campi semantici

- **treno**: *stazione, vagone-letto, cuccetta, vagone ristorante, cabina, binario, scompartimento, finestrino.*
- **viaggio**: *treno, viaggiatore, frontiera, bagagli, meta, taxi, partenza.*
- **vedere**: *notare, rivedere, intravvedere, perdere di vista, accorgersi.*

2. Prefissi

1. *in*contentabile - 2. *s*conveniente - 3. *s*corretto - 4. *s*contento - 5. *il*leso - 6. *im*pari - 7. *im*mortale - 8. *s*fiorire - 9. *s*gonfiare - 10. *il*legale - 11. *s*legare - 12. *s*fiducia - 13. *in*tollerante - 14. *in*transitivo - 15. *s*leale

3. Coppie di parole

1. busta paga - 2. parco macchine - 3. squadra campione - 4. vagone letto - 5. parola chiave - 6. vacanze studio - 7. scuola guida - 8. conferenza stampa

4. **Preposizioni**

1. La ragazza si era affacciata *al* finestrino. - 2. Lei non si era accorta *di* me. - 3. Mi sono recato *all'*ufficio informazioni. - 4. L'ambasciatore russo si è recato *dal* Pontefice. - 5. Franco si è avvicinato lentamente *alla* ragazza. - 6. Ci siamo molto rallegrati *alla (o per la)* notizia. - 7. Non mi fido *di* chi promette molto. - 8. Ormai non mi meraviglio più *di* nulla.

5. **Riformulazioni**

* *Qui, si suggeriscono alcune delle possibili riformulazioni.*

1. Ma tra la folla, *non la vidi più (non riuscii più a vederla - mi sfuggì)*. - 2. Poi la *scorsi (o vidi) per un attimo* alla stazione. - 3. Durante il controllo dei bagagli *vedo accanto a me (è vicino a me)* la bella sconosciuta. - 4. Perciò *lasciai perdere (o desistei, rinunciai, mi arresi, mollai tutto)*. - 5. Roma era la mia *destinazione*.

* * *

4. LA "NUOVA" MADRE

(da *L'isola di Arturo* di E. MORANTE)
pagg. 40-43

B. ANALISI LESSICALE E STILISTICA

1. **La similitudine**

1. Aveva i capelli biondi come *l'oro (il grano)*. - 2. Il suo viso era bianco come *la cera (un lenzuolo, la neve ecc...)*. - 3. Portava un abito ampio che la rendeva simile a *una botte (una campana, un sacco, ecc...)*. 4. Aveva due occhi piccoli e appuntiti come *spilli*. - 5. Aveva il naso ricurvo come *il becco di un'aquila*. - 6. Portava delle scarpe grosse come quelle di *un montanaro (un contadino)*. - 7. Ha il cuore duro come *la pietra (un macigno)*. - 8. Camminava dritto come *un fuso (o un palo)*.

2. **Campi semantici**

piede - viso - occhi - capelli - testa - mento - dita - mani.

3. **Combinazione di parole**

a. - **ruvido**: *mano - carta - foglio - lana - uomo - modo - sasso*
- **crespo**: *mare - carta - foglio - lana.*
- **aspro**: *uomo - sapore - modo.*
- **liscio**: *carta - mano - mare - tavolo - foglio - sasso.*
- **rozzo**: *mano - uomo - modo.*
- **levigato**: *tavolo - sasso.*

b. - **nero**: *notte - legno - colore.*
- **scuro**: *notte - legno - stanza - vetro - acqua - voce - colore.*
- **buio**: *notte - stanza.*
- **opaco**: *legno - vetro - voce - colore.*
- **castano**: *colore - legno.*
- **oscuro**: *notte - stanza - vetro - parola - discorso - voce.*

* * *

5. ANGELICA

(da *Il Gattopardo*, di G. T. DI LAMPEDUSA)
pagg. 45-49

B. ANALISI LINGUISTICA

1. **Riformulazioni**

* *Anche qui si suggeriscono alcune delle possibili riformulazioni.*

1. Don Calogero *veniva avanti (procedeva)* con la mano tesa. - 2. Espresse un pensiero di *grazia (leggerezza, delicatezza...)* parigina. - 3. *Mostrava (aveva)* nella persona la pacatezza della donna sicura di sé. - 4. Non *si occupò* del *(prese in considerazione il)* Principe. - 5. Questa forma di omaggio le *diede* il fascino dell'esotismo.

2. **Polisemia**

A: L'aggettivo mancante è: **fresco**.

Nelle frasi proposte "fresco" significa che:
1. è stata raccolta da poco.
2. ha una temperatura bassa.
3. è stata data da poco, non è asciutta o secca.
4. sereno e tranquillo.

B: L'aggettivo mancante è: **bello**.

Nelle frasi "bello" significa:
1. alto, elevato.
2. brutta o cattiva.
3. definitiva.
4. brillante, buono.

* * *

6. CHIOSSO: IL TERRORE DEGLI UFFICI

(da *Viva Migliavacca ed altri 12 racconti* di P. CHIARA)
pagg. 50-55

A. COMPRENSIONE DEL TESTO

1. **Informazioni specifiche**

* *Ecco delle possibili risposte!*

a. Chiosso era un signore sulla cinquantina di corporatura robusta, con una grossa pancia ed un faccione bonario con occhi piccoli e penetranti.
b. Severo ed inflessibile, intelligente e volitivo. Il lavoro era tutto per lui: la sua sola passione, il solo scopo della sua vita. I soli sentimenti che provava erano la gioia e la soddisfazione di quando scopriva qualcuno in fallo, soprattutto se era una persona importante o stimata.
c. Era nato in Liguria, da una famiglia abbiente. Aveva fatto gli studi di ragioneria ed era poi entrato nell'amministrazione dello Stato ed aveva fatto carriera: era diventato, infatti, ispettore giudiziario.

d. Chiosso aveva il compito di controllare nei vari uffici giudiziari che tutto avvenisse o fosse avvenuto secondo le regole. Ogni abuso, ogni irregolarità, ogni forma di piccola o grave corruzione veniva subito segnalata al Ministero senza pietà, e il colpevole, spesso, pagava cara la sua leggerezza o negligenza.

2. Paragoni e similitudini

* *Ecco un elenco di similitudini ed immagini usate dall'autore per raffigurare Chiosso.*

- (r.2): "con in testa un feltro color topo che gli stava come un elmo" - (r.11-12): " In altri tempi si sarebbe imbarcato come suo nonno..." - (r. 18-19): "Come tutti i destinati al comando, era un solitario..." - (r.27): "gli si accendeva lo sguardo" - (r. 41-42): "era come il cacciatore al quale..." - (r. 42-43): "Partiva subito con le sue armi in pronto, nella speranza di far caccia grossa..." - (r. 50): "ma gli occhi, piccoli e penetranti, erano quelli di un vero inquisitore..." - (r. 51): "Aveva pancia come la gran parte degli uomini autorevoli" - (r. 52): "spalle spioventi da scaricatore di porto"

3. Sintesi

* *In corsivo sono le parole inserite*

Chiosso era un uomo sulla *cinquantina*, di corporatura forte e *robusta (possente).* Indossava abitualmente abiti *buoni (eleganti, di buona fattura)*, ed in testa aveva sempre un cappello *di feltro*. Girava negli uffici *amministrativi* e nelle procure sempre con una *borsa* in mano, dove teneva i suoi *arnesi (ferri del mestiere)*: alcune matite di diversi *colori*, un temperamatite, il "cinquecodici", la carta intestata del *Ministero* e carta comune.

Aveva un viso grande e *largo*, apparentemente *bonario*, con gli occhi piccoli e *penetranti*, spalle larghe e *spioventi*, e una grossa pancia. Le *pieghe* ai lati della bocca segnalavano la sua inclinazione all'*arroganza (intransigenza)* e a far soffrire gli altri.

Era un uomo *sicuro* di sé, privo di *dubbi (scrupoli, incertezze)*, rigido e *severo (inflessibile)* con tutti, insomma uno fatto apposta per il *comando*. E come tutte le persone *destinate* al comando era un solitario: scapolo, senza amici *veri (autentici)*, da quando gli erano *morti* i genitori era senza *famiglia*, e non aveva né sorelle né *fratelli*.

Intelligente, *volitivo* e deciso, svolgeva il suo incarico con *diligenza (scrupolo)*, la sua più grande *soddisfazione (gioia)* era quella di scoprire gli errori, anche i più *lievi (piccoli, banali)*, degli altri, ma soprattutto delle persone *importanti* e ritenute brave.

B. ANALISI LESSICALE E TESTUALE

1. Sinonimi

1. **volitivo** → *deciso, energico, risoluto.* - 2. **inclinazione** → *disposizione, tendenza, propensione.* - 3. **subodorare** → *intuire, indovinare, avere sentore.* - 4. **accreditato** → *noto, famoso, ben accetto.* - 5. **riprendere** → *rimproverare, ammonire, correggere.* - 6. **spiovente** → *cascante, cadente.*

2. Modi di dire

a. i ferri del mestiere	→	*gli strumenti necessari per un determinato lavoro.*
b. subodorare un'irregolarità	→	*intuire una irregolarità o anomalia in un comportamento.*
c. gli si accendeva lo sguardo	→	*gli si illuminavano gli occhi per la soddisfazione.*
d. mettere qualcuno con le spalle al muro	→	*mettere qualcuno nella condizione di non poter sfuggire o comunque difendersi adeguatamente.*
e. incrociare le armi con qualcuno	→	*battersi con qualcuno.*
f. scoprire in fallo	→	*cogliere qualcuno in errore.*
g. primo della classe	→	*essere il più bravo, il migliore.*
h. entrare in allarme	→	*mettersi sulla difensiva, stare all'erta.*

3. Polisemia

1. rapporti scritti - 2. legame sentimentale. - 3. nesso o rapporto logico. - 4. ufficio che instaura e cura i rapporti con i clienti di una società. - 5. discorso che tratta (svolge) un argomento scientifico o tecnico.

4. Campi semantici

1. predica - 2. arringa - 3. sproloquio - 4. conferenze - 5. ramanzina - 6. discorso - 7. dialogo - 8. interrogatorio - 9. relazione.

5. Coerenza semantica

- 1a. celibe - 1b. scapolo - 2a. protrarre - 2b. prolungare - 3a.idoneo - 3b. adatta - 4a. previsione - 4b. prognosi -5a. pronunciare - 5b. proferire.

Sezione II FIABA E MITO

1. IL POZZO DI CASCINA PIANA

(da *Favole al telefono* di G. RODARI)
pagg. 58-62

A. COMPRENSIONE DEL TESTO

2. Ricostruzione del testo

* *Ecco il corretto ordine delle frasi, con l'indicazione della sua caratteristica in termini di importanza nell'economia del racconto: E = essenziale, P = periferico, M = marginale.*

18. **M**	6. **E**	17. **E**	10. **E**	23. **P**	22. **E**	4. **E**	21. **P**	11. **E**
19. **E**	5. **E**	20. **E**	16. **P**	1. **E**	14. **E**	8. **P**	12. **M**	25. **M**
9. **M**	24. **M**	13. **E**	2. **E**	15. **E**	3. **E**	7. **E**	***	***

B. ANALISI LESSICALE

1. Campi semantici

- **pozzo**: *acqua, carrucola, corda, catena, secchio, attingere.*
- **cibo**: *granaio, salamino, macellare, vino, farina, polenta, lardo.*
- **famiglia**: *donne, uomini, madre, babbo, nonna, figlio, sorelle.*
- **guerra**: *scoppiare, andare sotto le armi, invasione, partigiano, ferito, ammazzare.*

2. IL BOSCO SULL'AUTOSTRADA

(Da *Marcovaldo* di I. CALVINO)
pagg. 64-72

A. COMPRENSIONE DEL TESTO

1. Informazioni specifiche

a.

personaggi:	Marcovaldo, Michelino e i suoi fratelli, e l'agente Astolfo.
luoghi:	L'interno della casa di Marcovaldo, il giardino pubblico, l'autostrada.
prodotti:	un formaggino, un callifugo, compresse per l'emicrania.
oggetti:	giornali, sega, accetta, gancio, corda.

b.

a. Le nuvolette di vapore che escono dalle bocche di Marcovaldo, della moglie e dei figli.
b. Marcovaldo pensa di andare a cercare la legna nei giardini pubblici della città, l'unico posto, cioè, dove si potevano trovare degli alberi e quindi qualche ramo secco caduto a terra.
c. Michelino pensa di andare a cercare la legna in un bosco, come ha letto in un libro di fiabe.
d. Si tratta di cartelloni pubblicitari.
e. Perché è miope.
f. L'omino (Marcovaldo) che con la sega taglia il cartellone pubblicitario rappresenterebbe, secondo l'agente Astolfo, l'emicrania che taglia in due la testa della persona che ne è afflitta.

B. ANALISI LESSICALE

1. Gruppi semantici

a. capigliatura - b. folla - c. pianta - d. gas - e. stivale - f. occhiali

2. Nomi alterati

a.

1. nuvolette (r.6)	<	*nuvola*	- 2. pezzetto (r. 16)	<	pezzo
3. bibliotechina (r.19)	<	*biblioteca*	- 4. alberello (r.38)	<	*albero*
5. monellaccio (r.56)	<	*monello*	- 6. bamboccione (r. 59)	<	*bamboccio*
7. testone (r. 69)	<	*testa*	- 8. omino (r.71)	<	*uomo*

b. *Le vocali fra parentesi indicano: a= alterato, n= non alterato*:

1. *alberello* (**a**) - 2. *finestrino* (**n**) - 3. *bibliotechina* (**a**) - 4. *modello* (**n**) - 5. *boschetto* (**a**) - 6. *nuvolette* (**a**) - 7. *cartella* (**n**) - 8. *fumetti* (**n**) *cartoni* (**n**) - 9. *lampadina* (**n**) - 10. *borsetta* (**a**), *rossetto* (**n**) *mollette* (**n**), *specchietti* (**a**), *pettinini* (**a**), *lamette* (**n**), *bottigliette* (**a**) - 11. *copertina* (**a**) - 12. *copertina* (**n**) - 13. *cartellone* (**n**) *formaggino* (**n**) *bamboccione* (**a**) - 14. *pezzettino* (**a**)

C. PRODUZIONE ORALE O SCRITTA

1. Invenzione e interpretazione

b. 1. Automobile - 2. Dentifricio - 3. Biscotti - 4. Shampoo (o lozione per capelli) - 5. Marmellata - 6. Detersivo - 7. Pastiglie per la gola - 8. Abito - 9. Motorino (moto-scooter)

2. Figure retoriche

1. *metafora* - "il tigre" è simbolo della forza e della velocità, collegata in questo messaggio ad una benzina. Notare come il senso di forza è evidenziato dall'attribuzione del genere maschile alla parola tigre, che di norma è solo femminile.
2. *antitesi* - E' data dal contrasto tra sotto e sopra e cielo e terra.
3. *allusione* - Artemide: il lume della ragione. Il nome dato ad una serie di lampade fa riferimento ad Artemide, dea della mitologia greca, sorella di Apollo, che era una divinità della notte, simbolo della luce lunare.
4. *allusione* - "Datevi all'ittica." Si allude al diffuso modo di invitare qualcuno a cambiare attività: darsi all'ippica. "Il pesce aguzza l'ingegno.", invece allude ad un modo di dire: *aguzzare l'ingegno"*
5. *antitesi* - Vi è il contrasto tra grande e piccola.
6. *antitesi* - Contrasto tra vino frizzante e calma assoluta.
7. *allitterazione* - Successione di suoni simili in " basta un tasto".

8. *antitesi* - tra fuori e dentro.
9. *allusione* - Si allude al modo in cui nel mondo cristiano nei secoli passati si indicavano gli anni dopo Cristo (dell'era volgare); appunto come anni di *grazia*. Naturalmente la Grazia di cui si tratta nella pubblicità è il titolo di una rivista femminile.
10. *bisticcio* - Qui si gioca sul doppio significato della frase: mentre si allude allo spogliarsi, si invita in realtà ad usare un particolare profilattico.
11. *allitterazione* - E anche bisticcio in questa pubblicità di un'automobile.
12. *allusione* - Si fa un esplicito riferimento ad una massima di Vittorio Alfieri (poeta italiano del '700) che ricordava il grande sforzo di volontà compiuto nello studiare da autodidatta le lingue antiche dicendo: Volli, sempre volli, fortissimamente volli.
13. *allitterazione* - (come in frase n. 7)
14. *metafora* - La parte migliore, più buona della panna in questo gelato.
15. *metonimia* - Il sapore allude al piacere che si prova nel vedere colori così veri.
16. *antitesi* - Opposizione tra grande risparmio e piccola goccia.

* * *

3. ANCHE I TRENI BEVONO

(di G. MANGANELLI)
pagg. 73-76

B. ANALISI LINGUISTICA

1. Campi semantici

* *Ecco le parole del testo che hanno, sul piano semantico, un'attinenza con treno*:

macchina - vagone - vagone letto - locomotiva - stazione - finestrino.

2. Connotazioni

a. treni di ieri: → *cosa illustre - potente, piena di nobiltà - segni di antica potenza - esperienza regale*

b. treni di oggi: → *frettolosi, distratti, ubriaconi, - indossano vestiti stirati male - fumano sigarette da pochi soldi - portano berretti tipo Chicago - puzzano - sono depressi e umiliati, feriti nell'orgoglio dalla comparsa degli aerei.*

3. Polisemia

a. 1. **minuto** (r.28): piccolo - 2. **reale** (r.5): proprio del re - 3. **profondo** (r. 8): intenso, sentito - 4. **voto** (r. 17): giudizio di merito a scuola - 5. **aria** (r. 18): aspetto, apparenza - 6. **giusto** (r. 19): legittimo - 7. **depressione** (r. 21): avvilimento e tristezza.

b. *Ecco, tra le moltissime frasi possibili, alcuni esempi!*

1. Mi fermo qui solo qualche **minuto** per riposarmi, poi riprenderò il cammino. - 2. Il motivo **reale** per cui ha lasciato la famiglia è che aveva trovato un lavoro interessante in un'altra città. - 3. In questo punto, anche se la costa è lontana più di trecento metri, il mare è poco **profondo**. - 4. Nei paesi democratici l'espressione del **voto** è segreta. - 5. L'inquinamento dell'**aria** è uno dei problemi più gravi delle metropoli industrializzate di oggi. - 6. Bravo! la risposta è **giusta**. - 7. Nel 1929 negli Stati Uniti molte industrie hanno chiuso e molto banche sono fallite a causa della grave **depressione** economica.

4. Sinonimi

1. **Sciatto** indica disordinato e trascurato nella persona e nell'aspetto, mentre **sgraziato** indica trascurato nei modi e nel comportamento.
2. **Litigiosi** sono coloro che tendono a litigare spesso anche per un nonnulla, mentre **maneschi** sono quelli che, litigando, ricorrono all'uso delle mani.
3. **Solido** sottolinea la resistenza e la forza di qualcuno o di qualcosa, mentre **stabile** evidenzia la fissità o inamovibilità da un posto.
4. **Scontroso - introverso** : Il primo indica una persona poco socievole, il secondo una persona chiusa, non espansiva o aperta.
5. **Sfacciato** è chi non ha modestia o pudore, **invadente** è chi si intromette nelle faccende degli altri.
6. Detto di una persona, **equivoco** indica uno ambiguo, che desta sospetti, **losco** indica chi per l'aspetto e il comportamento desta sospetti.

5. **Modi di dire**

a.

- essere a modo:	*essere educato, perbene*
- andare in malora:	*rovinarsi economicamente*
- farsi un nome:	*diventare famoso*
- fare una bella vita:	*vivere in modo agiato, nel lusso*
- avere storie con qualcuna:	*avere una relazione sentimentale con una donna.*

b.

- uscire dai binari:	*allontanarsi dalla strada giusta, o nel discorso, passare ad un altro argomento.*
- essere su un binario morto:	*essere in una situazione difficile, senza una via d'uscita.*
- arrivare con l'ultimo treno:	*arrivare in ritardo.*
- sbuffare come una locomotiva:	*lamentarsi molto e a lungo.*

* * *

4. IL RUBINO

(da *Gente in Aspromonte* di C. ALVARO)
pagg. 78- 84

A. COMPRENSIONE DEL TESTO

1. **Informazioni specifiche**

- In una città del Nord America.
- Un principe indiano, un tassista, un emigrante italiano, una donna "misteriosa".
- Un uomo d'affari, l'emigrante italiano, ed una donna.
- L'emigrante italiano indossava un paio di pantaloni larghi, delle scarpe tozze e gobbe, un cappello duro.
- L'emigrante portava con sé una valigia di finto cuoio con dentro una tuta turchina, dodici penne stilografiche, alcune posate con uno stemma, una macchinetta per tosare, uno strano oggetto di metallo a forma di pistola, dodici tappeti di tela cerata e altri oggetti. Oltre alla valigia portava con sé anche una cassaforte d'acciaio e, nel taschino, il cristallo rosa.

2. Riorganizzazione di informazioni

* *Ecco la sequenza corretta delle frasi proposte:*

1. **c**	2. **e**	3. **i**	4. **m**	5. **a**	6. **g**	7. **l**	8. **h**	9. **b**	10. **d**	11. **f**

B. ANALISI LINGUISTICA

1. Attualizzazioni semantiche

- ella (r. 19) : *lei*
- la vettura (r.24): *l'automobile (il taxi o la macchina)*
- auto di piazza (r.6): *taxi*
- albergo suburbano (r. 7): *albergo di periferia*
- conduttore del veicolo (r. 23): *conducente, tassista*
- casacca turchina da fatica (r. 52): *tuta azzurra o celeste (turchina) da lavoro*

2. Parole polifunzionali

1. aggettivo - 2. preposizione - 3. congiunzione - 4. preposizione - 5. avverbio - 6. aggettivo - 7. avverbio - 8. preposizione - 9. avverbio - 10. aggettivo - 11. avverbio - 12. aggettivo.

C. PRODUZIONE ORALE O SCRITTA

1. *A titolo di curiosità offriamo la conclusione del racconto di Alvaro:*

Egli mise il negozio in una parte del paese abitata dai contadini e dai mandriani, in alto. Quindici giorni dopo il suo arrivo, il pianterreno di una casupola era mobiliato con un lungo banco, uno scaffale dove avevano trovato posto i pacchi turchini della pasta, la cotonina turchina per le massaie, da un canto un barile di vino su due trespoli e un coppo d'olio. Accanto al banco era murata la cassaforte, ed egli provava un gran piacere ad aprirla in presenza alla gente. In questa cassaforte era il libro dei conti e lo scartafaccio delle merci vendute a credito, da pagarsi al tempo del raccolto o della vendita delle bestie. Il negozio acquistò lentamente l'aspetto di tutti i negozi, con l'odore delle merci, i segni fatti col gesso dalla moglie sulle pareti, per ricordarsi delle cose date a credito, perché non sapeva scrivere. Invece il figliolo, che andava a scuola, cominciò a tracciare sul registro i nomi dei clienti, e qualche volta assennatamente la guardia alla bottega, nei pomeriggi caldi, quando non c'era altro traffico che quello della neve per i signori che si svegliavano dal sonno pomeridiano.

Lentamente le lunghe scarpe americane si erano aggrinzite ai piedi della moglie che aveva acquistata l'aria soddisfatta e meticolosa delle bottegaie, la stoffa nuova che il marito aveva portato era andata a finire fra gli stracci, e soltanto il cappello duro di lui era quasi nuovo nell'armadio. I tappeti di tela cerata erano stati dati in regalo alle famiglie importanti, e quanto alle penne stilografiche nessuno le aveva volute. Qualcuno le aveva rotte maneggiandole, e i pezzi stavano nella cassaforte. Il padrone della bottega aveva, in fondo, l'animo di un ragazzo, perché pensava spesso che i pennini di quelle stilografiche fossero d'oro, e li teneva cari come il ragazzo tien cara la stagnola delle cioccolate. Conservava anche un giornale scritto in inglese, lo aveva sempre risparmiato, anche quando ne aveva avuto bisogno per incartare le merci. Talvolta si metterva a osservarlo, e le figurine delle pagine di pubblicità gli facevano rivedere la gente che fumava le sigarette col bocchino d'oro, le ragazze, i grammofoni, la vita dei quartieri centrali dove talvolta si avventurava.

Quanto alla pallina di cristallo, se ne ricordò un giorno, e la diede al figliolo che ci giocasse coi compagni il giorno di Natale. In quest'epoca, serve ai ragazzi una nocciolina più pesante per tirare contro i castelli fatti di nocciuole e buttarli giù e vincerli; di solito se ne prende una un po' grossa, la si vuota pazientemente attraverso un forellino, poi la si carica con alcuni grani di piombo da caccia. Questa di cristallo andava bene, era pesante, e colpiva nel segno. Un altro giocava con una pallina di vetro di quelle che si trovano nelle boccette delle gazose, che sono tonde; ma il figlio del negoziante sosteneva che fosse più bella la sua perché veniva dall'America e perché era rossa. La teneva molto cara, come fanno i ragazzi, che non perdono mai queste cose. Il padre pensava spesso, vedendo quest'oggetto che serviva di giocattolo al suo ragazzo, alle sue illusioni di quando viaggiava pel mondo, e il mondo gli pareva pieno di preziose cose perdute che i fortunati ritrovano. Per questo aveva sempre frugato dove gli capitava, sotto i materassi dei lettucci nel vapore, dietro i cuscini di cuoio degli autobus; non aveva mai trovato nulla. Sì, una volta soltanto, aveva trovato cinque dollari per istrada, e, se lo ricordava sempre, quel giorno pioveva.

(C. ALVARO, *Gente in Aspromonte*, Garzanti, Milano, 1955)

* * *

5. I SETTE MESSAGGERI

(da *Sessanta racconti* di D. BUZZATI)
pagg. 86-92

A. COMPRENSIONE DEL TESTO

1. **Informazioni specifiche**

1. Perché vuole visitare e conoscere i confini del suo regno.

2. Ha trentotto anni. Ne aveva poco più di trenta quando ha lasciato la sua casa e da allora sono trascorsi otto anni e mezzo quando redige questa cronaca del viaggio.

3. Moltiplicando per cinque il numero dei giorni trascorsi dalla partenza fino al ritorno di ciascun messaggero egli calcola dopo quanti giorni ciascun messaggero farà di nuovo ritorno.

4. Per avere notizie della sua famiglia e della sua città e per mantenere vivo il legame d'affetto con i suoi cari e i suoi amici.

5. L'ultimo a partire è Domenico. Dopo di lui il principe non invierà più nessuno, perché, secondo i calcoli fatti, per il ritorno del messaggero successivo, Ettore, sarebbero trascorsi troppi anni, e per quel momento forse il principe sarebbe già morto.

6. Il principe è scoraggiato e stanco. La stanchezza sembra quasi annullare ogni altro sentimento. La volontà e l'animo sono ancora quelli di un uomo che vuole andare sempre avanti, ma gli occhi e la mente sono rivolti al passato. Un sentimento di nostalgia per la patria lasciata si fa strada e avanza il dubbio che i sospirati confini non esistano o siano ancora troppo lontani perché lui nella sua esistenza possa vederli. E con il dubbio svanisce l'entusiasmo che aveva all'inizio e prova dentro di sé un profondo sconforto.

2. **Ecco la tabella completa!**

messaggero	1ª partenza	ritorno	2ª partenza	ritorno
Alessandro	2 giorno	10 giorno	11 giorno	55 giorno
Bartolomeo	3 giorno	15 giorno	16 giorno	80 giorno
Caio	4 giorno	20 giorno	21 giorno	105 giorno
Domenico	5 giorno	25 giorno	26 giorno	130 giorno
Ettore	6 giorno	30 giorno	31 giorno	155 giorno
Federico	7 giorno	35 giorno	36 giorno	180 giorno
Gregorio	8 giorno	40 giorno	41 giorno	205 giorno

3. **Sintesi**

* *In corsivo sono le parole inserite.*

Un principe si mise in viaggio insieme alla sua *scorta* per esplorare e conoscere i *confini* del suo regno. Tra i cavalieri che lo accompagnavano *ne* scelse sette, i più valorosi e forti, perché *portassero* nella capitale i suoi messaggi e gli riportassero notizie della sua *famiglia (casa)* e dei suoi cari. Per distinguerli facilmente diede *loro (ad essi)* nomi che iniziavano con lettere *alfabeticamente* progressive. E così a partire dal *secondo* giorno, iniziò l'invio dei *messaggeri* verso la capitale. Man mano che si allontanavano dalla città gli arrivi erano sempre più *radi*: all'inizio l'*intervallo* era di giorni, poi divenne di *mesi* e infine di anni.

Dopo otto anni e mezzo dalla *partenza* il principe inviò Domenico, che sarebbe *stato* l'ultimo messaggero perché, dai calcoli fatti, sarebbe *tornato* solo dopo trentaquattro anni. E per quella *data* probabilmente il principe non *sarebbe* stato più vivo: forse *sarebbe morto* senza nemmeno vedere i confini del *regno*, oppure li avrebbe attraversati senza *accorgersene*. Tuttavia, anche se ormai *deluso (stanco / vecchio)* continuò il viaggio verso l'ignoto, *e anche se (benché / pur / sebbene)* non più interessato a quanto *accadeva (avveniva / succedeva)* nella capitale, volle mantenere comunque *i legami (i contatti)* con la sua patria.

B. ANALISI LINGUISTICA E TESTUALE

1. Coesione testuale

1. Quello di "visitare" i confini del suo regno. - 2. Ai messaggeri. - 3. Notizia dei suoi cari o della sua città. - 4. Che la sua città, la sua casa e suo padre fossero diventati ormai lontani per lui. - 5. Da quando è partito per questo viaggio. - 6. A Domenico

2. Numeri cardinali

1. quattro - 2. quarantotto [1] - 3. sette - 4. due - 5. mille - 6. tre - 7. quattro - 8. due - 9. quattro - 10. cento

3. Parole derivate

1. trimestrale - 2. quartetto - 3. terzina - 4. quadrireme - 5. triangolo - 6. settimana - 7. triciclo - 8. cinquina - 9. semestre - 10. endecasillabo

4. Passato e trapassato

a. 1. (r.3) mi misi in viaggio - 2. (r.5) pochi acconsentirono a partire - 3. (r.6) mi preoccupai di comunicare - 4. (r.14) imposi loro - 5. (r. 10) mi accorsi - 6. (r.17) quando avevano percorso - 7. (r.16) vi spedii - 8. (r.19) inviai - 9. (r.20) in cui partì Gregorio - 10. (r.21) ci raggiunse - 11. (r.23) avevo pensato che - 12. (r.22) seppi da Alessandro - 13. (r.27) così fu degli altri - 14. (r.28) ci raggiunse alla quindicesima - 15. (r.29) Ben presto constatai - 16. (r.33) cominciò a spaziarsi - 17. (r.37) trascorsi che furono - 18. (r. 38) aumentò a ben quattro mesi

b. 1. Angela tornò quando tutto quel trambusto si era concluso. - 2. Si sedette al suo posto e cominciò a mangiare.- 3. Disse che nessuno dei compagni aveva sospettato di nulla. - 4. Patrizia dovette tornare a casa prima delle otto. - 5. Finse di esser d'accordo con loro e a parole accondiscese a tutte le loro richieste. - 6. Non fece in tempo a dire una parola che subito quel tipo lo coprì di insulti ed improperi. - 7. Così il ragazzo ebbe la possibilità di conoscere un giornalista tanto famoso.

[1] Il numero fa riferimento al 1848, anno in cui in Italia e in altri Stati europei scoppiarono dei moti rivoluzionari.

6. IL BUON VENTO

(da *Racconti e Romanzi* di M. BONTEMPELLI)
pagg. 94-102

A. COMPRENSIONE DEL TESTO

2. Modi di dire

* *Ecco i modi di dire usati nel testo:*

- (r. 38) Il cuore mi sanguina.
- (r.50-51) Mia moglie è una botte e mia figlia un'acciuga.
- (r. 73) Il nome ce l'ho sulla punta della lingua.
- (r.89) Siete un asino.

3. Sintesi

a. *Ecco una serie di possibili titoli per brano proposto nel manuale*:

Bada a come parli! - Magia delle parole. - L'ho detto per scherzo. - C'è modo e modo di ... dire.

B. ANALISI LESSICALE E LINGUISTICA

1. Espressioni figurate

a. *Diamo qui la parola usata in senso figurato nell'esercizio e un esempio in cui tale parola è usata nel suo significato proprio:*

1. **piedi**: Ho camminato per quattro ore ed ora mi fanno male i *piedi*.
2. **scroscio**: All'improvviso è venuto giù uno *scroscio* di pioggia.
3. **salato**: Per cena la mamma ha preparato una torta *salata*.
4. **bere**: Carlo *ha bevuto* da solo una bottiglia di vino.
5. **zizzania**: In mezzo al grano è cresciuta anche la *zizzania*.
6. **terra**: Sulla *terra* vivono più di cinque miliardi di persone.

b. *In corsivo sono indicate le parole e le espressioni che sostituiscono le parole indicanti parti del nostro corpo usate in senso figurato.*

1. Suo padre è un uomo *energico e deciso* (di polso).
2. L'autostrada del sole è la più importante *via di comunicazione* (arteria) italiana.
3. La fuga degli *scienziati* (cervelli) è un fenomeno che interessa il nostro paese da diverso tempo.
4. Mi ha telefonato *nel mezzo* (nel cuore) della notte.
5. Quasi quasi berrei *un po'* (un dito) di vino.
6. E' un tipo molto ostinato, non si sposta nemmeno *di un po'* (di un capello).
7. Ha esordito come *attore che dava le battute* (spalla) ad Eduardo De Filippo.
8. Il suo comportamento *da adito* (presta il fianco) a molte critiche.

2. Il suffisso "-bile"

- non può essere toccata:	*intoccabile*
- non può essere accontentata:	*incontentabile*
- non può essere sopportata:	*insopportabile*
- non può essere controllata:	*incontrollabile*
- non può essere compresa:	*incomprensibile*
- non può essere descritta:	*indescrivibile*
- non può essere narrata:	*inenarrabile*
- non può essere separata:	*inseparabile*
- non può essere deformata:	*indeformabile*

3. L'ambiguità linguistica

a.

1. *dama* = donna e gioco da tavolo.
2. *piano* = pianoforte (strumento musicale) e progetto.
3. *spagnolo* = è sia la lingua parlata in Spagna che la persona che è nata e vive in Spagna.
4. *piantarla* = smettere o finire di fare qualcosa e anche piantare nel terreno un albero o un fiore.
5. *partita* = gara e anche registrazione di un conto.
6. *da poco* = che vale poco ma anche da poco nel tempo.
7. *vecchia coperta* = una coperta che ha molti anni ma anche una donna di molti anni rivestita di ...
8. *manifesto* = azione del manifestare in favore della pace e anche stampato affisso in un luogo pubblico che invita alla pace.
9. *regalo di Francesca* = fatto da Francesca o dato a Francesca
10. *da sole*: = senza l'aiuto o la compagnia di altre persone e anche di difesa dal sole

b. 1. lira - 2. raggio - 3. calcio - 4. bugia - 5. mozzo - 6. china - 7. pensione - 8. borsa

4. **Parole omografe**

1. **bótte - bòtte.** / 2. **pèsca - pésca** / 3. **càpitano - capitàno** / 4. **ancóra - àncora** / 5. **àbitino - abitìno** / 6. **sùbito - subìto** / 7. **séguito - seguìto** / 8. **princìpi - prìncipi**

* * *

7. L'AUTOMOBBILE E ER SOMARO

(da *Tutte le poesie* di TRILUSSA)
pagg. 103-105

B. ANALISI LESSICALE E LINGUISTICA

1. **Dal dialetto alla lingua standard**

a.

a. vede': *vedere*
b. indove: *dove*
c. nun: *non*
d. porvere : *polvere*
e. de lo: *dello*
f. quanno: *quando*
g. ignobbile: *ignobile*
h. mancamme: *mancarmi*
i. infocato: *infuocato*
l. je: *gli*
m. situazzione: *situazione*
n. sarvà: *salvare*

b.

fasullo:	*falso, privo di valore*
inghippo:	*imbroglio, trucco*
bustarella:	*compenso illecito dato di solito ad un pubblico funzionario per corromperlo*
caciara:	*confusione, rumore*
pennichella:	*breve riposo o sonnellino pomeridiano (di solito dopo il pranzo)*
malloppo:	*refurtiva*
scarpinata:	*lunga camminata in salita*
sbronza:	*ubriacatura*
fregarsene:	*disinteressarsi di qualcosa o di qualcuno*
scapicollarsi:	*precipitarsi giù per un pendio, o accorrere rapidamente*

tirare a campare:	*vivere alla giornata, senza preoccuparsi del futuro*
schiaffare dentro:	*mettere in prigione*
sputare l'osso:	*rivelare ciò che si vorrebbe o dovrebbe tacere*
lasciar perdere:	*non curarsi, non preoccuparsi*
buona notte al secchio:	*dare l'addio a qualcosa, ad esempio, ad un progetto*

Esempi di frasi:

- Appena saputa la notizia, è uscito di corsa e *si è scapicollato* giù per le scale.
- Non fare il misterioso, forza!, *sputa l'osso*!
- Mi raccomando non fate *caciara*: voglio fare una *pennichella*.
- I carabinieri lo hanno sorpreso con il *malloppo* ancora in mano e lo *hanno schiaffato dentro*.
- Ha bevuto un bicchiere dopo l'altro ed è tornato a casa con una bella *sbronza*.

2. **Modi di dire**

a. correre a rotta di collo:	*correre molto velocemente.*
b. cadere fra capo e collo:	*il verificarsi di un evento spiacevole giunto inaspettato.*
c. piegare il collo:	*accettare passivamente.*
d. trovarsi nei guai fino al collo:	*avere molti problemi.*
e. essere con la corda al collo:	*trovarsi in una situazione particolarmente difficile o rischiosa.*
f. prendere per il collo qualcuno:	*aggredire, costringere qualcuno con la forza.*

3. **La preposizione "a"**

Barca a vela - ferro a vapore - pentola a pressione - stufa a legna - lampada a petrolio (o a gas) - lume a gas (o a petrolio) - strumento a fiato - penna a sfera - orologio a pile.

* * *

Sezione III IL MONDO DEL LAVORO

1. UNO STRANO OPERAIO

(da *Le parole tra noi leggère* di L. ROMANO)
pagg. 108-114

B. ANALISI LINGUISTICA

1. Coesione testuale

1. Del fatto che il padre aveva trovato un lavoro per il figlio presso un'officina di apparecchiature elettriche.
2. A quanto era successo: che il figlio voleva fare l'operaio e che finalmente aveva trovato un lavoro.
3. Sono gli altri operai dell'officina dove Pietro lavora.
4. L'aver dimostrato, prima di tutto a se stesso, di essere in grado di lavorare come tutti gli altri uomini e di saper quindi gestire ormai da solo la propria vita.
5. Il capo officina, che all'inizio l'aveva preso per un "operaio vero", ha scoperto che in realtà Piero proveniva da una famiglia "borghese", ed ha considerato il suo come un gesto snob di uno studente annoiato. Si era, insomma, sentito offeso.
6. Al mondo della media borghesia a cui la famiglia di Piero appartiene.
7. Della breve esperienza di lavoro del ragazzo.

2. Polisemia

- **aria** (r. 21):	aspetto	- **capriccio** (r. 36):	bizza
- **dichiarare** (r. 1):	dire	- **gusto** (r. 2):	attitudine
- **investire** (r. 39):	assalire con parole	- **scambiare** (r. 28):	prendere una persona per un'altra

3. Iperonimi

a. 1. parente - 2. calzatura - 3. edificio - 4. artista - 5. felino - 6. animale

b. 1. [**indumento**] - 2. [**alimento**] - 3. [**professionista**] - 4. [**cereale**] - 5. [**insetto**] - 6. [**sentimento**]

4. Iponimi

1. macchina	(*berlina, spider, Fiat Panda, utilitaria,* ecc...)
2. alimento	(*pane, pasta, riso, legumi, frutta, carne, pesce, dolce....*)
3. moneta	(*marco, franco, dollaro, lira, dollaro, dracma, peseta, fiorino, yen ....*)
4. gesto	(*carezza, abbraccio, stretta di mano, calcio...*)
5. virtù	(*generosità, sincerità, bontà, onestà, pazienza, lealtà ....*)
6. oggetto	(*vaso, libro, bicchiere, scatola, coltello, cornice, ...*)
7. elettrodomestico	(*frigorifero, tostapane, frullatore, lavatrice, lavastoviglie...*)
8. passione	(*sport, musica, arte, odio, amore, gelosia...*)
9. pasto	(*pranzo, cena, colazione*)
10. giorno	(*domenica, lunedì, martedì, Natale...*)

5. Famiglia di parole

* *In grassetto sono le parole inserite*

1. Nei giorni della campagna elettorale in città si notava un **lavorio** febbrile. - 2. Di lui possiamo dire tante cose, di certo però non che è un **lavoratore** instancabile. - 3. E' una cucina molto buona, ma molto **elaborata** e quindi difficile. - 4. E' un giovane molto **laborioso**: va premiato. - 5. Ad Arezzo c'è un'industria di **lavorazione** dell'oro molto importante. - 6. Carlo passa l'intera giornata nel suo **laboratorio** di ceramica. - 7. Chi non **lavora** non mangi! - 8. La giornata **lavorativa** di un impiegato è di sei ore. - 9. L'aspirazione di molti giovani è trovare un **lavoro** fisso. - 10. Il partito **laburista** inglese ha avuto un discreto successo elettorale.

6. Tempi verbali: il presente indicativo

1. E' giusto che voglia fare come gli altri. - 2. Suo padre si occupa di trovargli un posto dove possa entrare in prova. - 3. La sera gli domandiamo cosa ha mangiato. - 4. Siede senza parola davanti alla sua minestra. - 5. E' ammalato da diversi giorni: ha la febbre e poi deve curarsi l'occhio.

2. VISITA A SORPRESA

(di M. MILANI)
pagg.115-121

B. ANALISI LINGUISTICA

1. Coesione testuale

a. 1. (r. 5) Quella della lanterna.
2. (r. 8) Deve sapere che il malato non respira quasi più.
3. (r. 23) Della zona della bassa padana in cui si trova la cascina.
4. (r. 37) Era certa che si trattava di edema polmonare.
5. (r.50) La obbligavano i sei anni di studio, la laurea in medicina e la voglia di lavorare.

b. (r. 3-4) "*una* teneva... l'*altra* una lanterna" rimandano a "*Le due donne*" (r. 3)
(r.14) " che in un attimo *le* intrise..." "le" rinvia a "la ragazza" (r.13)
(r.15) "la ragazza *la* guardò" "la" si riferisce a "una delle donne".
(r.22) "sapeva che sarebbe stata dura". Tutta l'espressione fa riferimento all'impresa che la ragazza deve compiere.
(r.38) "*La* aprì", "la" si riferisce alla "valigetta".
(r.45) "Fine dell'*avventura*": la parola fa riferimento all'esperienza della ragazza medico in quella cascina.

2. Coerenza semantica

1. inzaccherata	→ rimanda a	*pozzanghere e fango*
2. ombrello	→ "	*pioggia*
3. androne	→ "	*cascina*
4. buio	→ "	*notte*
5. siringa	→ "	*le due fiale*
6. rantolo	→ "	*edema polmonare*

3. Gruppi semantici

* *Parole da cancellare da ogni gruppo*:

1. pazienza - 2. afflitto - 3. ospizio - 4. medicazione - 5. analisi - 6. disgu-

sto. 4. **Enfasi**

1. Sostituisco *io*, il dottor Armani (oppure: Sono io che sostituisco il dottor Armani.) - 2. *Queste cose* non le capisco. - 3. *Di quello che doveva fare* ne era assolutamente certa. - 4. *A Milano* ci sono stato l'anno scorso. - 5. *Ad uscire con lui* non ci penso affatto. (*Uscire con lui*? Non ci penso affatto.) - 6. *Quella tovaglia* l'ha ricamata Giovanna. - 7. *A Paola* ho detto di aspettarmi al bar. - 8. *L'orologio* me l'ha regalato mio zio per il compleanno .

5. **Riformulazioni**

1. *Diluviava. / La pioggia cadeva a catinelle.* - 2. Le due donne *che aspettavano* uscirono *dall'ingresso*. - 3. Come sarebbe, il dottore sono io?" *ripeté (fece a mo' di eco)* l'altra donna. - 4. Ma si può sapere - domandò *adirato (con durezza)* - che cosa è successo?" - 5. Faccia quello che *deve esser fatto*, dottore.

6. **La frase interrogativa**

1. Quando arrivò il medico? - 2. Cosa facevano le due donne che uscirono dall'androne? - 3. Di che cosa si meravigliarono gli abitanti della cascina? - 4. Chi sta male? - 5. Con che cosa si fece avanti un uomo? - 6. Dov'è il malato? - 7. Di che cosa soffre il malato? - 8. Che cosa obbligava la ragazza ad intervenire?

* * *

3. IL NUOVO BARBIERE

(da *Storie paesane* di C. CICCIA)
pagg. 123-128

B. COMPRENSIONE DEL TESTO

1. **Informazioni specifiche**

* *Ecco delle possibili risposte alle attività suggerite*:

1. La vicenda narrata si svolge in una barbieria di periferia. I protagonisti sono un vecchio barbiere e un cliente (il narratore).

2. Era un uomo molto anziano, pallido in volto e con un lieve tremore alla bocca e alle mani. Indossava un camice bianco e portava gli occhiali.
3. All'inizio il cliente prova una certa sorpresa e sbalordimento nello scoprire che invece del solito vecchio barbiere ce n'è uno ancora più anziano. Lo stupore diventa terrore quando nota il tremore delle mani. Tuttavia, accetta con rassegnazione di sottoporsi al supplizio. La paura e l'angoscia che lo tormentano mentre è sotto i "ferri" diventano panico appena il barbiere prende in mano il rasoio.
   Tutto questo crescente spavento si smorza e svanisce al termine del lavoro e si trasforma subito dopo in soddisfazione e gratitudine allorché si accorge che il lavoro è stato fatto a regola d'arte.
4. Inizialmente il cliente teme "qualche ferita" e "qualche sconcio", che lo avrebbe costretto poi a ripassare da un altro barbiere per farsi riaggiustare il taglio. Al momento del rasoio arriva a temere per la propria vita e per questo si raccomanda a sant'Antonio, promettendo che sarebbe andato ad accendergli un cero se fosse uscito vivo da quella esperienza.

2. Campi semantici

– il nuovo barbiere:	*decrepito, padre, sostituto, quell'uomo, un moribondo, povero vecchio, medico, torturatore, brav'uomo, vecchio leone, artigiano.*
– il suo lavoro:	*taglio, supplizio, incubo, scempio, sacrificio, tortura, capolavoro*
– gli stati d'animo del cliente:	*irruenza che esprimeva impazienza* (r.8-9), *e dovetti sbalordirmi* (r.19), *mi colpì* (r.23), *infine mi terrorizzò* (r.33), *ma poi ebbi pietà* (r.35), *non vedevo l'ora che..*(r.45-46*), e fui preso dal panico* (r.51), *cominciai a distendermi* (r.67-68), *dissi con una doppia soddisfazione* (r.72).

B. ANALISI LINGUISTICA

1. Modi di dire

a. Lavorare nella stagione estiva o invernale in un luogo di vacanza dove sono presenti turisti.
b. Rivolgere, mentalmente, le proprie preghiere a più di un santo nei momenti di difficoltà.
c. Tagliare i capelli in modo non uniforme, lasciando visibili le linee dei tagli operati con le forbici.

d. Essere ancora esperto e forte nonostante l'età avanzata, avere ancora "grinta" come un vecchio leone; qui ovviamente si fa riferimento alla maestria e bravura del barbiere.
e. Abbandonare per sempre o per un certo periodo la propria attività artigianale o commerciale.

2. Gradazioni semantiche

1. adulto - attempato - anziano - vecchio - decrepito
2. bambino - fanciullo - adolescente - ragazzo - giovane
3. timore - paura - spavento - angoscia - terrore - panico
4. impaziente - nervoso - irruente - focoso - collerico - violento
5. tiepido - caldo - torrido - bollente - rovente
6. freddo - gelido - rigido - gelato

3. Aggettivi

a. – un grand'uomo = *una persona che gode di molta stima, apprezzata e ammirata per la sua grandezza d'animo*
– un uomo grande = *una persona dalla corporatura grossa e robusta.*

– una nuova macchina = *un'altra macchina.*
– una macchina nuova = *una macchina uscita dalla fabbrica e mai usata.*

– diverse persone = *alcune persone.*
– persone diverse = *persone non uguali fra loro.*

– una certa notizia = *una notizia particolare, un po' maliziosa; talora si dice in tono ironico o scherzoso.*
– una notizia certa = *una notizia sicura.*

– un semplice problema = *si tratta solo di un problema.*
– un problema semplice = *è un problema facile da risolvere*

– un alto magistrato = *un magistrato che occupa un grado elevato nella magistratura.*
– un magistrato alto = *si tratta di una persona che è fisicamente alta.*

b. 1. Il terremoto ha provocato ***gravi*** danni in tutta la zona. - 2. Ha bevuto una bottiglia di vino ***rosso***. - 3. Una piccola compagnia teatrale ha offerto gratuitamente uno spettacolo ***divertente*** a tutto il paese. - 4. Ha lasciato di sé un'impronta ***originale***. - 5. I Renzi sono andati ad abitare in un palazzo vicino alla riva ***sinistra*** del Tevere. - 6. Sono arrivati ad un accordo dopo un'***ampia*** discussione. - 7. Hai saputo le ***ultime*** notizie sul suo trasferimento? - 8. Ha mangiato da solo un cocomero ***sano***.

4. La frase interrogativa

1. Incredulo mi chiedevo "Come ha fatto quell'incosciente di un figlio a lasciare un moribondo a sostituirlo?" - 2. Mi chiedevo perché non avesse chiuso bottega. - 3. "Come potrà maneggiare strumenti così delicati e pericolosi?", domandavo a me stesso. - 4. Replicava chiedendomi come avrebbe fatto (faceva) a radermi se io allontanavo la testa.

* * *

4. LA RAGAZZA DEL SABATO SERA

(da *Un gran mare di gente* di G. ARPINO)
pagg. 129-135

B. ANALISI TESTUALE E LINGUISTICA

1. Discorso indiretto libero

(r.7-9) La ragazza rodendosi nel fondo della sua poltrona, giudicava che fosse lei, la moglie, che non andava, lei, solo lei, quella donna che neppure sapeva rendersi conto della fortuna che le era capitata.

(r.9-11) Osservando il tavolo pensava che quello era il tavolo dove lui lavorava, e vedendolo coperto di mucchi di carte e riviste notava fra sé e sé che glielo lasciavano abbandonato da far vergogna. Insomma pensava che quella donna non gli portava rispetto, ecco come stavano le cose, secondo lei.

(r.17-19) Ricordò in un lampo benevolo che era sempre lui che si raccomandava davvero per la bambina, e che lei diceva sì e no due parole mentre lui era buono, gentile, si preoccupava.

(r.19) Era sicura che quella donna non si meritava affatto un uomo simile.

(r.19-21) Poi ricordò che bevevano, e pensò che stava bene che lui bevesse, perché forse la sera era stanco e al sabato magari aveva voglia di lasciarsi andare, ma che lei bevesse un bicchiere via l'altro...

(r.21-22) E ricordava che ogni volta doveva aprire la finestra, perché quel vermut lasciava un odore che faceva venire il voltastomaco.

(r.23-24) Era chiaro che lui se ne infischiava. Sapeva che lui era beneducato e cercava di comportarsi bene, di non darlo a vedere, ma anche che non la poteva soffrire.

(r.24-26) Pensava a tutte le volte in cui tornavano a casa. Chiunque l'avrebbe capito che l'avrebbe uccisa. E pensava che forse era solo quella povera bambina che li teneva ancora insieme.

(r.26-27) Si chiedeva a chi dei due assomigliasse. Sapeva che le bambine di solito assomigliano ai padri, e che lui come padre doveva essere un angelo.

(r.39) Non osò pensare che l'avesse lasciata lì perché lei la vedesse.

(r.43-44) Ricapitolò le proprie idee e pensò che lui in quel momento avrebbe telefonato, e che come al solito avrebbe telefonato per chiederle come andava, e che lei non avrebbe saputo dirgli un bel niente.

(r.60) Posando l'apparecchio si disse, dandosi della cretina, che non avrebbe combinato mai niente nella vita.

2. Coesione testuale

1. Alla stanza - 2. Lasciano abbandonato a lui, al padrone di casa, il tavolo di lavoro. - 3. Al fatto che lui non può soffrire più sua moglie - 4. E' la moglie.

3. Coerenza semantica

1. **portacenere** - 2. **egoista** - 3. **bevono** - 4. **libro** - 5. **fotografia** - 6. **telefono** - 7. **cercare la luce** - 8. **stanza da letto** - 9. **cuscino**

4. Parole composte

a.

1. voltastomaco:	verbo	nome
2. buonumore:	aggettivo	nome
3. beneducato:	avverbio	aggettivo
4. attaccabrighe:	verbo	nome

5. francobollo:	aggettivo	nome
6. porcospino:	nome	nome
7. nullatenente:	pronome	verbo
8. arcobaleno:	nome	nome
9. segnalibro:	verbo	nome
10. cassapanca:	nome	nome
11. manomettere:	nome	verbo
12. sottoporre:	avverbio	verbo
13. bassorilievo:	aggettivo	nome
14. terraferma:	nome	aggettivo
15. sordomuto:	nome (aggettivo)	nome (aggettivo)
16. mappamondo:	nome	nome

b. - **capoluogo** - **spazzaneve** - **terracotta** - **apriscatole** - **cassaforte** - **aspirapolvere** - **bassorilievo** - **passaporto** - **parafulmine**

c.

a. scuola	**doposcuola**	b. tetto	**senzatetto**
c. gelo	**antigelo**	d. droga	**antidroga**
e. banco	**sottobanco**	f. gamba	**sottogamba**
g. pasto	**antipasto**	h. occhio	**sottocchio**
i. fascismo	**antifascismo**	l. barba	**dopobarba**
m. costo	**sottocosto**	n. furto	**antifurto**

* * *

5. QUANDO SI È LICENZIATI

(da *La vita agra* di L. BIANCIARDI)
pagg. 137-141

B. ANALISI STILISTICA E TESTUALE

Valutare o analizzare dal punto di vista stilistico o contenutistico un testo significa spesso interpretarlo secondo schemi e chiavi di lettura spiccatamente soggettivi, che riflettono spesso più il mondo del lettore che quello dell'autore. Per questo le soluzioni proposte per questa parte del lavoro didattico costituiscono semplicemente delle possibili letture del testo, ed hanno perciò un valore puramente esemplificativo.

1. La situazione di estremo disagio e di inutilità dell'impiegato destinato al licenziamento. A lui non serve più un vero ufficio, basta un ripostiglio nel sottoscala, e una scrivania può esser sprecata per chi dovrà usarla ormai solo per qualche giorno.

2. Si tratta sicuramente di un'impressione del povero impiegato licenziato, che quasi incredulo di ciò che gli è capitato non si accorge di quanto gli succede intorno. Nel suo stato di scoramento e di depressione avverte un senso di abbandono, sicuramente accentuato da un'inconscia fuga, quasi un "nascondersi" degli altri impiegati che restano, al fine di non voler far pesare ancor di più al malcapitato la sua sventura.

3. Le parti del racconto narrate in prima persona tendono a sottolineare i tratti della vicenda più personali, quelli capitati al protagonista, mentre le vicende narrate in seconda persona si riferiscono a situazioni pù comuni, che possono accadere a chiunque venga licenziato. Attraverso la forma "impersonale" del tu si cerca un certo coinvolgimento dell'interlocutore, un affidarsi ai suoi sentimenti di pietà e partecipazione, quasi un voler dire "è capitato a me, ma può succedere anche a te che mi ascolti".

C. ANALISI LESSICALE E LINGUISTICA

1. Campi semantici

* *Ecco i gruppi di parole per campi semantici più ristretti: il primo termine, in grassetto, è il termine guida.*

1. **lavoratore** -artigiano - impiegato - operaio - salariato
2. **denaro** - contante - soldi - spiccioli - quattrini
3. **paga** - liquidazione - retribuzione - salario - stipendio
4. **lavoro** - impiego - mansione - occupazione - ufficio
5. **operazione bancaria -** deposito - incasso - prelievo - riscossione - versamento

2. Forma impersonale

a. 1. Se proprio non si è stupidi, ce se ne accorge perché cambia l'aria attorno.
   2. Si raccolgono le proprie cose, si sfila davanti a porte chiuse, da dove non viene né una voce né un suono, non si incontra nemmeno la telefonista.
   3. E ci si ritrova nel turbinio della strada. Voltando l'angolo si prende una gran spallata da un passante frettoloso.

4. Ma non è facile quando si è stati buttati fuori da un posto trovarne subito un altro.

b. 1. Quando guidi non ti devi distrarre parlando con chi sta accanto.
2. Quando spedisci un telegramma cerca di risparmiare scrivendo solo le parole indispensabili.
3. Puoi perdere la pazienza quando discuti a lungo sempre dello stesso argomento.
4. Vai spesso al concerto più per sfoggiare l'ultimo abito acquistato che per ascoltare la musica.
5. Se sali sul campanile di Giotto puoi ammirare tutta Firenze.

* * *

6. IL BACO DA SETA

(da *Il padrone* di G. PARISE)
pagg. 144-149

A. COMPRENSIONE DEL TESTO

1. Informazioni specifiche

1. Che cosa fa il signor Mario in ufficio invece di lavorare? - 2. Chi gli appare davanti sulla scrivania mentre fantastica? - 3. Che cosa fa il signor Mario quando vede il baco da seta sulla scrivania? - 4. A che cosa non potrà mai sfuggire il signor Mario, secondo il baco da seta? - 5. Di che cosa lo accusa il baco da seta? - 6. Chi gli propone come esempio da seguire? - 7. Come reagisce il signor Mario alla "predica" del baco da seta? - 8. Come si conclude questa storia?

B. ANALISI LINGUISTICA

1. Gruppi semantici

a. **insetto** - b. **fibra naturale** - c. **artigiano** - d. **verdura** (**ortaggio**) - e. **mobile** - f. **elettrodomestico**

2. Coesione testuale

1. Altri bachi da seta. - 2. L'uomo non può essere un parassita. - 3. Come tutti gli altri animali e insetti che passano la loro vita lavorando. - 4. Del principio che tutti gli esseri viventi devono essere utili a qualche cosa, attraverso il lavoro si realizza il grande scopo o disegno della natura. - 5. Pensa alle parole che gli ha detto il baco da seta.

3. Preposizioni

1. Le rondini si cibano **di** insetti.- 2. Quando ti decidi **a** cominciare la cura dimagrante? - 3. Sono pochi quelli che riescono **a** smettere **di** fumare definitivamente. - 4. Diceva sempre che era una donna impossibile e poi ha finito **per** sposarla. - 5. Puoi darmi una mano? Non mi riesce **di** far ripartire la macchina. - 6. La direzione centrale ha deciso **di** chiudere la filiale di Corso Marconi. - 7. Suo padre non voleva che si mettesse **con** quel ragazzo. - 8. Si tratta **di** un lavoro interessante e anche ben pagato. - 9. Quando il baco da seta se ne è andato il signor Mario si è messo **a** lavorare.

4. Parole composte

abito da sera - auto da corsa - baco da seta - borsa da viaggio - camera da letto - cane da caccia - carta da lettere - cucina da campo - ferro da stiro - occhiali da sole - ragazza da marito - sala da pranzo - tuta da meccanico - uva da tavola - vino da pasto.

5. Forma perifrastica: da + infinito

1. Io non ho da rendere conto di nulla a nessuno. - 2. E' un film molto bello, credimi: è da vedere. - 3. Abbiamo da risolvere un problema spinoso. - 4. Qualcuno avrà pure da pagare il conto. - 5. Una proposta del genere è da rifiutare. - 6. Un disegno così bello è da incorniciare.

6. Discorso diretto e indiretto

1. Il signor Mario pensa a cosa vuole quello lì e che lui è un uomo e non un baco da seta. - 2. E risponde che veramente lui al baco da seta non ha da render conto di nulla e che dunque il baco fili pure la sua seta e lo lasci tranquillo. - 3. Il baco da seta replicò chiedendo cosa voleva (o volesse) dire che lui era un uomo. - 4. Il baco da seta dice sorridendo all'uomo che non deve credere di poter fare tanto il furbo e di poter sfuggire.

7. IL MESTIERE DI GIORNALISTA

(da *Il buon giornale* di P. OTTONE)
pagg.152- 156

A. COMPRENSIONE DEL TESTO

1. Informazioni specifiche

1. A 18 anni, quando un'amica gli chiese se voleva essere presentato ad un giornalista.
2. La sua aspirazione era svolgere un'attività che gli permettesse di viaggiare.
3. Nel suo ufficio al giornale "La Gazzetta del popolo", a Torino.
4. Il 6 maggio 1942.
5. Fare il giornalista è un mestiere grigio e pericoloso, e se non si eccelle non si diventa ricchi. Si è guardati con diffidenza.
6. Per aiutare l'interlocutore a rivelare i propri pensieri o sentimenti, bisogna avere un profondo interesse per gli altri, ispirare fiducia e simpatia, occorre saper ascoltare gli altri ed immedesimarsi nelle vicende altrui.

B. ANALISI LESSICALE E LINGUISTICA

1. Polisemia

1. *affermato* (r.4) - conosciuto [c] - 2. *misurato* (r.11) - equilibrato [c] - 3. *discreto* (r.11) - moderato [b] - 4. *fatale* (r.24) - inevitabile [c] - 5. *curioso* (r.41) - originale [b] -

2. Preposizioni

1. Massimo Caputo, direttore della Gazzetta del popolo di Torino, propose **a** Piero Ottone **di** scrivere un articolo e **di** mandarglielo.
2. **Da** parte sua, il ragazzo, **alla** fine **del** colloquio, aveva deciso **di** fare il giornalista.
3. Oggi, dopo molte esperienze, il giornalista si sente **in** grado **di** esporre riflessioni **su** un mestiere che rifarebbe comunque se tornasse indietro.

4. Un buon giornalista deve dimenticare se stesso **per** immedesimarsi **nelle** vicende altrui.
5. **Nel** giro **di** pochi anni, il suo sogno si avverò e partì **per** città lontane.
6. Piero Ottone, **da** ragazzo, aspirava **a** svolgere un'attività che gli permettesse **di** viaggiare.
7. Seduto **all'**angolo **dello** scompartimento **del** treno, sognava **di** partire **per** ben altre città.
8. Il ragazzo ebbe l'opportunità **di** conoscere un giornalista affermato: Massimo Caputo.
9. Gli disse che, finita la guerra, ci sarebbe stato bisogno **di** giovani capaci, disposti **ad** andare **all'**estero **per** fare i corrispondenti.

3. Riorganizzazione di informazioni

* *Ecco l'ordine corretto delle frasi proposte*:

6 - 8 - 1 - 9 - 2 - 7 - 5 - 3 - 4.

4. Modi di dire

1. cedere agli altri la ribalta: *Mettersi in secondo piano, lasciare che siano gli altri a mostrarsi, a parlare o a fare.*
2. rimanere dietro le quinte: *Agire, operare o manovrare senza farsi vedere, rimanere nell'ombra.*
3. fare la prima donna: *Essere o fare il / la protagonista, ma anche mettersi in mostra, voler essere al centro dell'attenzione.*
4. far calare il sipario: *Chiudere su un fatto o una vicenda, non parlarne più, considerarla una cosa chiusa..*
5. salire alla ribalta: *Diventare noto o famoso.*
6. avere una parte secondaria: *Giocare o avere un ruolo non importante in una vicenda.*
7. gettare la maschera: *Mostrarsi o farsi conoscere per quello che veramente si è.*
8. fare tragedie: *Comportarsi o pensare in modo troppo cupo o catastrofico, avere reazioni eccessive e assumere atteggiamenti tragici dinanzi a difficoltà o contrarietà.*

5. Parole derivate

1. E' un uomo che ***conduce*** una vita troppo sregolata: non vivrà a lungo. - 2. Da quanto hai detto si può ***dedurre*** che difficilmente Mario aderirà a questa iniziativa. - 3. Nessuno ha creduto ai motivi che hai ***addotto*** per giustificarti. - 4. Si è lasciato ***sedurre*** dalle sue dolci parole. - 5. Guarda come

mi hanno ***ridotto*** la macchina per rubarmi la radio! - 6. In Toscana si ***producono*** alcuni dei migliori vini italiani.

* * *

8. QUANTA INVIDIA PER IL FOTOREPORTER

(di L. GOLDONI)
pagg. 159-164

A. COMPRENSIONE DEL TESTO

1. Informazioni specifiche

1. Ad un concorso per Miss Italia lui cercò di conquistare una partecipante, ma lei preferì il suo collega fotografo.
2. La possibilità di esprimere le proprie emozioni e quindi di riuscire a coinvolgere gente anche lontana ed estranea ai fatti, la possibilità di vivere e partecipare agli altri i rischi e i pericoli che possono correre certi giornalisti impegnati in zone e parti del mondo in cui ci sono guerre o conflitti.
3. Quando ad Amman fu svegliato durante la tremenda battaglia tra i Feddayn e l'esercito del re Hussein, provò una forte emozione e capì che solo con il mestiere di giornalista poteva far partecipare anche agli altri le emozioni che lui provava.
4. E' necessario seguire le proprie inclinazioni, senza tormentarsi con il dubbio su quale strada sia migliore. L'importante è, una volta scelta la propria strada, seguirla con determinazione, senza tentennamenti o rimpianti.

2. Sintesi

* *I paragrafi dell'articolo di Goldoni cominciano dalla riga 5, dato che il primo paragrafo del testo proposto è la lettera di un lettore. Quindi, il 1° paragrafo dalla riga 5 alla 7; 2° paragr.: r. 8-22; 3° paragr.: r.23-26; 4° paragr.: r.27-29; 5° paragr.: r.30-33; 6° paragr.: r. 34-42; 7° paragr.: r. 43-36.*

a. 6 - b. 2 - c. 5 - d. 7 - e. 2 - f. 2 e 3.

B. ANALISI LESSICALE E LINGUISTICA

1. Sinonimi

1. Idea costante (par. I)	*"Un chiodo fisso:..."*
2. Cercare (par. II)	*"pescando nelle mie esperienze..."*
3. Persistere in un proposito (par. III)	*"mi ostinai a preferire.."*
4. Da maestro (par. IV)	*"magistrale"*
5. Colpire (par. V)	*"centrato..."*
6. Arrivare improvvisamente (par. VI)	*"piombavo dentro..."*
7. Sottilizzare (par. VIII)	*"disquisire..."*

2. La metafora

* *Anche qui, le frasi costruite hanno un valore esemplificativo: elevato è, infatti, il numero di frasi che si possono costruire con le parole suggerite. In grassetto sono evidenziate le parole usate in senso figurato.*

1. **Pescando** nelle mie esperienze vi racconterò quante volte ho invidiato i fotoreporter e quante invece no.
   es.: *Luigi ha pescato una trota di ben quattro chili.*

2. Mi svegliai all'Hotel Giordan di Amman nel **cuore** della feroce battaglia.
   es.: *Per l'emozione il suo cuore batteva forte forte.*

3. Avevo conosciuto altri **inferni** da ragazzo.
   es.: *Per i cattolici chi è vissuto in modo peccaminoso finisce all'inferno.*

4. *M*i chiedevo come sarei uscito da quella **trappola**.
   es.: *I bambini hanno messo nella cantina una trappola per catturare i topi.*

5. **Svettavano** placidi e trionfali canti di gallo.
   es.: *Il campanile della chiesa parrocchiale svettava alto nel cielo.*

6. Scegliete le vostre **strade** e percorretele correttamente.
   es.: *Per andare a Firenze prendi la prima strada a destra!*

3. Riformulazioni

1. Il mio collega fotografo, senza fare tante chiacchiere, se l'era portata in camera proponendole alcune pose artistiche. - 2. Benché l'immagine trionfi in modo incontestabile sulla parola, non passai alla rolleiflex, né in occasioni mondane, né professionali. - 3. Mentre stavo disteso sul pavimento di un

balconcino, cercavo di dominare l'inquietudine chiedendomi come sarei uscito da quella trappola infernale.

4. La nominalizzazione

a.

verbo	nome d'azione	nome d'agente
1. **leggere**	**lettura**	**lettore**
2. *scrivere*	scrittura	*scrittore*
3. correre	*corsa*	*corridore*
4. *dirigere*	direzione	*direttore*
5. criticare	*critica*	*critico*
6. *fuggire*	*fuga*	fuggiasco
7. *vincere*	vittoria	*vincitore*
8. *litigare*	*litigio*	litigante
9. costruire	*costruzione*	*costruttore*
10. *assistere*	assistenza	*assistente*
11. redigere	*redazione*	*redattore*
12. *correggere*	*correzione*	correttore
13. vendere	*vendita*	*venditore*
14. *persuadere*	persuasione	*persuasore*
15. cuocere	*cottura*	*cuoco*

b. 1. Le consideravo un elemento essenziale al coinvolgimento di lettori lontani migliaia di chilometri. - 2. Al termine della guerra ci sarebbe stato.... - 3. Al mio arrivo tutti si sono meravigliati. - 4. Lo incontrai all'uscita dal bar. - 5. Franca non sopporta i rimproveri di suo padre. - 6. L'ho detto solo per scherzo. - 7. ... ha spinto i sindacati all'interruzione delle trattative. - 8. Quel giorno andò in ufficio solo per le dimissioni.

c.
1. La premiazione degli atleti migliori da parte del presidente del C.O.N.I.
2. L'invito dei colleghi da parte di Patrizia per festeggiare la promozione.
3. La cattura di un pericoloso evaso da parte della polizia.
4. La riparazione della macchina di Giovanna da parte del meccanico.
5. La pubblicazione della notizia del furto da parte dei giornali.
6. La convocazione di tutti i redattori del giornale da parte del direttore.
7. Evasione di cinque ragazzi dal carcere minorile con le lenzuola.
8. Espulsione del terzino da parte dell'arbitro a dieci minuti dal termine della partita.
9. Inaugurazione della mostra dedicata a Raffaello da parte del presidente della Repubblica.
10. Dimissioni del sindaco nella tarda serata di ieri.

9. LE "GRIDA" URBANISTICHE

(da *Di profilo si nasce* di G. SAVIANE)
pagg. 166-173

A. COMPRENSIONE DEL TESTO

2. Sintesi

* *In corsivo sono le parole inserite.*

Un maturo signore ha pensato di *investire* i risparmi di tutta una vita nell'*edilizia*. E' andato perciò in *municipio (comune)* per avere dei consigli dal segretario del *segretario* sul modo più semplice per avere una *licenza* di costruzione. Quando finalmente, dopo una lunga *attesa (anticamera)*, il segretario arriva, il maturo *signore* espone il suo *progetto (proposito)* e le sue intenzioni di fare tutto rispettando le *leggi (regole / norme)*. Ed allora il segretario *comincia (inizia / passa)* ad illustrare quali e quante leggi *regolano (disciplinano)* l'edilizia. E' un vero *intrico (caos / ginepraio)* di leggi, leggine, decreti, ordinanze e circolari ministeriali. Il poveruomo *è* come sopraffatto da tante difficoltà, ed allora, di *nascosto*, mentre il segretario è tutto preso nella *lettura (recitazione / declamazione)* delle leggi, se la svigna. Nell'uscire porta *istintivamente (incosciamente / inconsapevolmente)* la mano al portafogli per *assicurarsi (controllare / sincerarsi)* che il gruzzolo che aveva risparmiato *fosse (era)* ancora lì.

B. ANALISI LINGUISTICA

1. Polisemia

1. *maturo* [b] - 2. *realizzare* [a] - 3. *interesse* [c] - 4. *sana* [a] - 5. *ramo* [b] - 6. *licenza* [a] - 7. *esposizione* [d] - 8. *maglia* [c]- 9. *recitare* [a] - 10. *attribuzione* [a].

2. Linguaggi settoriali: la burolingua

a. *Ecco alcune espressioni burocratiche usate nel testo, e la loro "traduzione" in un linguaggio più accessibile*:

(r.41-42) Lei è in grado di acquistare il terreno a un prezzo conveniente, sempre che il Comune accetti di volturarle le licenze"
Lei può comprare il terreno ad un buon prezzo, a patto che poi il Comune accetti di passare (trasferire) a lei le licenze (o il permesso) di costruzione.

(r.82-84) "Il CIPE, previo esame in seduta comune con la commissione consultiva interregionale prevista dall'articolo nove della legge 7 febbraio 1967, n.48...."
"Il CIPE dopo aver esaminato insieme alla commissione consultiva interregionale che è prevista dall'articolo 9 della legge n. 48 del 1967 ...."

(r.87-91) "Il CER, entro i limiti dell'attribuzione dei fondi assegnati a ciascuna regione quale risulta dal piano approvato dal CIPE, tenendo conto dei prevedibili tempi di esecuzione dei programmi formulati dalle Regioni stesse e del decreto del Ministro per il Tesoro previsto dall'ultimo comma del successivo articolo 5..."
"Il CER dovrà tener conto dei soldi assegnati a ciascuna regione, dei tempi necessari per realizzare i programmi fatti dalle regioni e anche del decreto del ministro del Tesoro".

b. *Quelle suggerite sono solo alcuni dei possibili esempi di riscrittura delle frasi in stile burocratico proposte dall'esercizio.*

1. I viaggiatori devono mostrare il biglietto al controllore quando questo glielo chiede.
2. La commissione ministeriale ha preparato alcune misure per risanare le zone degradate della città destinate alle attività commerciali e industriali.
3. Le domande senza la documentazione richiesta saranno respinte (o rifiutate).
4. Si informano i cittadini che dalla prossima settimana via Garibaldi verrà chiusa al traffico automobilistico. Questa chiusura durerà per tutto il tempo necessario alla demolizione delle vecchie case ormai cadenti.
5. E' ritenuto privo di biglietto anche il viaggiatore che ha un biglietto non convalidato o scaduto.
6. Anche la ricevuta del versamento in conto corrente postale è valida per dimostrare che il pagamento è stato fatto. La data effettiva sarà quella del versamento.
7. Le fatture di energia elettrica si possono pagare anche presso la banca che addebiterà il costo sul conto corrente che il singolo utente ha con la banca.

oppure:
Il singolo utente per pagare le fatture dell'energia elettrica potrà servirsi della banca presso la quale ha un conto corrente. La banca provvederà ad addebitare l'importo delle fatture sul conto corrente dell'utente.

8. Innanzitutto si considera emigrato il cittadino italiano che iscritto nei registri anagrafici di un comune italiano sia andato a lavorare in un paese straniero. Gli emigrati che vogliono aprire un conto in valuta straniera devono rispettare le regole qui di seguito riportate.

3. La frase causale al congiuntivo

1. Il neocostruttore si tastò il portafogli non perché temesse di essere borseggiato, ma perché era una sua abitudine. - 2. Parla poco non perché si annoi, ma perché non ha niente da dire. - 3. Ho acceso il camino non perché avessi freddo, ma perché mi piace vedere il fuoco acceso. - 4. E' stato bocciato all'esame, non perché non fosse intelligente, ma perché non aveva studiato. - 5. Va in ufficio in macchina non perché abiti lontano dall'ufficio, ma perché si alza sempre tardi. - 6. Il gatto miagola non perché abbia fame, ma perché è rimasto chiuso in garage. - 7. Franco quella sera è uscito con Laura non perché gli piacesse Laura, ma perché gli piaceva la sua amica. - 8. Carla era rimasta senza voce non perché avesse parlato molto, ma perché aveva un terribile raffreddore.

Sezione IV NOI E GLI ALTRI

1. UN RAGAZZO DIFFICILE

(da *Le parole tra noi leggère* di L. ROMANO)
pagg. 178-182

A. COMPRENSIONE DEL TESTO

1. **Informazioni specifiche**

1. La madre gira intorno al figlio.
2. Il ragazzo reagisce in modo infastidito all'interessamento della madre.
3. Lo spiega come eredità di un passato in cui lei reagiva bruscamente e talora violentemente agli atteggiamenti di un figlio che non rispondeva alle attese della madre.
4. Dall'osservazione che il libro che il ragazzo legge è probabilmente un fumetto e anche dalle reazioni di insofferenza e noia verso la madre, tipiche di un adolescente.

B. ANALISI LESSICALE E LINGUISTICA

1. **Campi semantici**

* *Termini che nel testo si riferiscono al campo semantico della "guerra"*:

assalivo - battaglie - tradiva - assalti - assedi

2. **Sinonimi**

annoiato - infastidito / calmo - quieto / cautela - circospezione / ciarliero - loquace / collera - ira / conflitto - guerra / distacco - freddezza / domanda - richiesta / madre - mamma / nubile - zitella / paura - spavento

3. **Gli avverbi**

a. 1. *impazientemente* - 2. *rabbiosamente* - 3. *rispettosamente* - 4. *freddamente* - 5. *gentilmente* - 6. *collericamente* - 7. *sistematicamente* - 8. *discorsivamente*

b. 1. *forse* - 2. *Oh se!* - 3. *mi piacerebbe* - 4. *anche se* - 5. *perfino* - 6. *forse* - 7. *a costo di* - 8. *forse* - 9. *forse* - 10. *anche*

4. **L'ellissi**

Io giro intorno a Piero: con circospezione, con impazienza, con rabbia. Adesso gli giro intorno; un tempo invece lo assalivo. Ma anche adesso ogni tanto sbotto e allora Piero mi guarda con la sua famosa calma e dice: "Tu mi manchi di rispetto." .....

* *L'inserimento di un nome proprio, toglie al lettore l'interesse e l'attesa di scoprire di chi si parla.*

* * *

2. I RICCI E LA RACCOLTA DELLE MELE

(da *Lettere dal carcere* di A. GRAMSCI)
pagg. 183-187

A. COMPRENSIONE DEL TESTO

2. **Aree semantiche**

uccelli: *fringuelli - falchi - barbagianni - cuculi - gazze - cornacchie - cardellini - canarini - allodole.*

altri animali: *pesciolini - serpicina - donnola - riccio - tartarughe - blatte - maggiolini - cani - bisce.*

3. Sintesi

* *Ecco uno dei possibili riassunti del testo di Gramsci. Le parole in corsivo sono quelle suggerite nel manuale di base:*

Nella lettera al figlio Antonio Gramsci elogia la cura e l'interesse che il ragazzo dimostra per gli animali. Gli dà alcuni consigli e gli racconta un aneddoto della sua infanzia.

Fu in una *sera d'autunno*, illuminata dalla luna che lui ed un suo amico scoprirono il modo in cui i ricci fanno la raccolta delle mele. Nascosti dietro un cespuglio in un *campo di meli*, i due ragazzi videro ad un certo punto i ricci venire avanti in fila indiana: in testa il padre e la madre e dietro i tre piccoli. Arrivati ai piedi di un melo, si misero subito all'opera: prima *radunarono le mele* che erano già per terra, poi il *riccio grande si arrampicò* sull'albero e dondolandosi fece *oscillare* un *ramo* facendo così *cadere a terra* altre mele. Una volta radunato un bel mucchio, se le caricarono sul dorso in modo originale e curioso: *si arrotolarono* e si sdraiarono sulle mele, in modo che diverse se ne *infilzarono* sui loro aculei. Così carichi si incamminarono verso la tana: ma, ahimé, non vi arrivarono mai. I due ragazzi, *usciti dal nascondiglio*, li catturarono, li misero in un *sacco* e se li portarono a casa.

Gramsci racconta che *addomesticò* i ricci che gli erano toccati e li allevò dando loro da *mangiare insalata*. Un giorno, però, i ricci *sparirono*: forse qualcuno li aveva portati a casa per mangiarseli.

B. ANALISI LINGUISTICA

1. Contestualizzazioni semantiche

1. Da dove saranno *sbucati* quei topi? - 2. E' un fannullone: non fa altro che *girellare* tutto il giorno. - 3. Si divertivano facendo *ruzzolare* delle grosse pietre per la strada. - 4. Si sono *arrampicati* con grande abilità sulle pareti del Monte Bianco. - 5. Le bandiere *oscillavano* mosse dal vento. - 6. Il ragno *si dondolava* appeso al filo della sua tela. - 7. Esausti, noi *ci siamo sdraiati* a terra. - 8. I ricci per difendersi o per afferrare qualcosa *si appallottolavano* su se stessi. - 9. I bambini giocando *si rotolavano* sulla sabbia.

2. Derivazione

- girellare *girare*
- mangiucchiare *mangiare*
- rubacchiare *rubare*
- stiracchiare *stirare*
- sbaciucchiare *baciare*
- vivacchiare *vivere*
- scribacchiare *scrivere*
- ridacchiare *ridere*
- piagnucolare *piangere*
- sbevucchiare *bere*
- parlottare parlare
- saltellare *saltare*

3. Suffissi

* *Nelle parole sottolineate una volta il suffisso ha un valore diminutivo, in quelle sottolineate due volte un valore negativo o spregiativo.*

1. E questa, per te, sarebbe una *stanzetta*? - 2. Ci sono ancora queste *peschine* gialle per frutta? - 3. Non c'è giorno in cui il dottor Leoni non faccia la sua *passeggiatina* pomeridiana. - 4. Non manderò certo mio figlio in quella *scuoletta*! - 5. I Ferri si sono costruiti una *casetta* vicino al lago. - 6. Come poteva pretendere di essere promosso all'esame con quel *compitino*! - 7. Il direttore l'ha chiamato e gli ha fatto un *discorsetto* tutt'altro che simpatico. - 8. Vai a ricevere il nuovo direttore con questa *macchinina*?

4. Avverbi

1. Per non farsi vedere, camminava *carponi* dietro la siepe. - 2. Si è buttato *ginocchioni*, pregando l'amico di aiutarlo. - 3. Il povero cagnolino ferito avanzava *balzelloni*. - 4. I bambini per gioco si buttavano *ruzzoloni* giù per il pendio della collinetta. - 5. Seduto sul muretto, le gambe *penzoloni*, osserva la gente che passeggiava. - 6. Un piccolo uomo cencioso e scalzo, ammanettato tra due carabinieri procedeva a *balzelloni*, nella strada deserta e polverosa, come in un penoso ritmo di danza, forse perché zoppo o ferito a un piede. (I. Silone)

* * *

3. MATRIA POTESTÀ

(da *Come donna, zero* di L. FIUMI)
pagg. 189-193

A. COMPRENSIONE DEL TESTO

1. Informazioni specifiche

* *Possibili risposte alle domande*:

1. La notizia secondo la quale in Svezia anche i padri avrebbero potuto godere di sei mesi di licenza parto (astensione dal lavoro) per la nascita di un figlio. - 2. La donna, secondo la madre della narratrice, deve occuparsi da sola dei figli e della casa. - 3. Ritiene che le idee della madre siano ridicole e contraddittorie. - 4. Una prima contraddizione è nell'affermazione che i figli sono solo della madre, ma ad essi viene attribuito il cognome del padre; l'altra contraddizione è la supposta stupidità dell'uomo e intelligenza della donna: l'uomo è così cretino da non potersi occupare dei figli, ma è in grado di occuparsi di tutto ciò che è extradomestico. - 5. Cerca di mantenersi estraneo, ma quando è chiamato a dire la sua si schiera dalla parte della moglie. - 6. Ritiene che i ruoli dell'uomo e della donna siano diversi e debbano rimanere distinti.

2. Sintesi

* *Anche questo è solo un esempio con cui confrontarsi.*

La notizia che in Svezia anche i padri avrebbero avuto i sei mesi di licenza-parto sconvolge la madre della narratrice. E' una cosa assurda. Tra madre e figlia nasce subito una vivace discussione sul ruolo e i compiti della donna e dell'uomo. Per la madre, i figli sono solo della madre, perché è la madre che li partorisce, e la figlia le fa osservare che i figli una madre non può farli da sola: ci vuole anche il padre.

Vistasi sconfitta su questo terreno, la madre porta avanti un altro argomento: gli uomini non capiscono niente dell'educazione di un figlio; perciò è giusto che i figli li allevi la madre. Che poi i figli abbiano il cognome del padre è un fatto ingiusto, non sufficiente, tuttavia, a farle cambiare l'opinione che ha sugli uomini. E poi gli uomini che, come suo genero, si dicono disposti a fare "le donne di casa", lo dicono solo perché non sanno cosa vuol dire "fare la donna di casa".

Insomma sono problemi delle nuove generazioni: tutto era più bello "ai suoi tempi", rimpiange la madre. Allora donne e uomini avevano compiti e ruoli ben precisi e distinti.

B. ANALISI LESSICALE E STILISTICA

1. Modi di dire

1. Non le va giù.	*Non le piace / Non accetta.*
2. Dove vuoi parare?	*Dove vuoi arrivare? A che cosa miri con questo discorso?*
3. Ci risiamo!	*Siamo di nuovo al punto di prima, siamo al solito discorso.*
4. Colpire nel segno.	*Toccare il problema che preoccupa un altro. Ottenere l'effetto voluto.*
5. Tagliare corto	*Saltare alcuni passaggi del discorso ed arrivare al tema che interessa. Andare diritto allo scopo, non indugiare.*

2. Figure retoriche: l'ironia

a. - Infatti, portano il cognome della madre, la madre esercita la matria potestà.
Vuol dire tutto il contrario: i figli non prendono il cognome della madre, e questa non esercita nessuna "matria" potestà.

- E' un cretino e quindi è meglio che si occupi di lavori extradomestici, la donna è intelligente, quindi deve curarsi dei bambini.
Il senso reale è che proprio perché "furbo" l'uomo si occupa di lavori extradomestici.

b.
1. Il tuo compito, Claudio, è *fatto male, è pieno di errori*!
2. *E' stata una dieta inutile: Marta non è dimagrita per niente.*
3. *E' un discorso non originale: l'ho già sentito fare!*
4. *Ha avuto solo insuccessi.*
5. Ecco *uno che non ha nessuna fortuna con le donne*!

c.
1. *Non ti pare che faccia troppo caldo in questa casa? (o in questa casa si scoppia dal caldo!)*
2. Quel tenore *sembrava Pavarotti!*
3. *Che splendida spider hai!*
4. *Com'è buono questo ragazzo, sembra un angelo!*
5. *Ha proprio brillato agli esami! (o Che successo l'esame!)*

C. ANALISI LINGUISTICA

1. L'interiezione

a.

(r.6) *perdiana!*	Esprime ovvietà.
(r.8) *diamine!*	" "
(r.14) *oddio!*	esprime meraviglia e impazienza
(r.17) *uffa!*	esprime stanchezza
(r.27) *uffa!*	esprime disappunto
(r.30) *uffa!*	esprime noia e stanchezza

b. 1. *Basta*! non riesco a sentire il telegiornale con questo baccano. - 2. Abbiamo forato una gomma, *mannaggia*! - 3. *Ahi*! che male mi son fatto! - 4. *Accidenti*! quanto è caro! - 5. *Oddio*, che spavento! - 6. Che aspetti a dirglielo, *perdiana*!? - 7. *Pazienza!*, andrà meglio un'altra volta! - 8. *Mah*, che posso dirti?

c. 1. disappunto, dispiacere - 2. meraviglia - 3. incertezza, dubbio, esitazione - 4. gioia, felicità - 5. stupore - 6. incredulità - 7. meraviglia, sorpresa.

* * *

4. DISCUSSIONE IN FAMIGLIA

(da *Gisella* di C. CASSOLA)
pagg. 195-201

A. COMPRENSIONE DEL TESTO

1. Informazioni specifiche

* *Ecco delle possibili risposte alle domande proposte nel testo*:

1. Lo zio e la zia di Gisella, Gisella, Adriana e Remo.
2. Lo zio e la zia di Gisella sono il padre e la madre di Adriana e Remo, fra loro fratelli, Gisella è la nipote ed è, quindi, cugina di Adriana e Remo.
3. E' Gisella che racconta la storia.
4. Gli rimproverano il fatto che la sera prima non è tornato a casa per la cena.

5. Il figlio risponde che la sera prima è andato a teatro a vedere una commedia di Pirandello.
6. La madre è adirata per il comportamento del figlio e delusa per il suo atteggiamento di indifferenza e sufficienza e alla fine è scoraggiata e triste: si sente sola, incompresa e trascurata sia dal marito che dai figli, che non riconoscono i sacrifici che lei ha fatto.

2. Modi di dire

1. Come se sprecassi (buttassi via) i soldi. - 2. Lavorare tanto per mantenere la famiglia. - 3. Di solito parlava poco. - 4. Se ne vanno, scappano. - 5. Siamo persone che contano poco nella società. - 6. Se ne hanno a male (si offendono) perché...

B. ANALISI LINGUISTICA E TESTUALE

1. Sinonimi e contrari

1. contrari - 2. contrari - 3. sinonimi - 4. sinonimi - 5. sinonimi - 6. sinonimi - 7. sinonimi - 8. contrari - 9. sinonimi - 10. contrari - 11. sinonimi - 12. sinonimi - 13. contrari - 14. sinonimi.

2. Registri linguistici

a.
1. Il registro linguistico dominante è quello colloquiale - familiare.
2. Tale stile lo si individua dalla scelte di parole ed espressioni tipiche del parlare quotidiano e popolare, come:
   "mandare avanti la baracca", "siamo gente da nulla" "quando eravate piccoli", "sacrifici", ecc...
   dall'uso di ripetizioni, come:
   "Ma cenare, potevi cenare a casa"
   "Niente, non vuoi dirci niente", ecc..
3. Il linguaggio del figlio è più curato e controllato rispetto a quello immediato e spontaneo della madre. Ad esempio, il ragazzo usa interrogative retoriche:
   "Vi dovrei raccontare di me, dei libri che leggo?"
   "Cosa credi che sia andato a vedere, le ballerine?"
   e il condizionale:
   "Ti potresti interessare di qualcosa... Potresti leggere ..." ecc..

b. 1. colloquiale - 2. formale - 3. informale - 4. popolare - 5. formale - 6. ufficiale - 7. aulico - 8. ufficiale - 9. familiare - 10. popolare - 11. formale - 12. colloquiale - 13. colloquiale - 14. colloquiale - 15. formale

c. 1a. Tra amici, in un luogo qualsiasi.
1b. In un luogo o locale pubblico in cui è vietato fumare. Un pubblico ufficiale o comunque un responsabile si rivolge ad un cliente (ad esempio, un controllore d'un treno ad un passeggero in uno scompartimento per non fumatori).

2a. Un vigile ad un automobilista che vuole parcheggiare in una zona a divieto di sosta.
2b. Tra amici che si trovano nella stessa auto.

3a. Un dentista ad un paziente durante una visita.
3b. Una madre al bambino.

4a. In casa, ad un ospite di riguardo.
4b. In casa, ad un ospite amico.

5a. Un cardiologo al paziente o ai parenti del paziente.
5b. Tra parenti o amici che parlano di una stessa persona.

6a. Tra amici, con tono indispettito e seccato.
6b. Un professore ad uno studente che parla durante la lezione.

d. 1. Mi dispiace ma l'oggetto (articolo) che volevi comprare è finito. 2. I temporali che si sono avuti negli ultimi giorni sulle coste dell'adriatico hanno danneggiato i vari stabilimenti balneari.
3. Se si prende spesso questa medicina si possono avere delle irritazioni sulla pelle.
4. Chi viene scoperto senza il biglietto o con un biglietto scaduto dovrà pagare una multa di trentamila lire.
5. Non ho parole per ringraziarLa della sua grande cortesia.
6. Non è mica una persona generosa.

3. Coesione testuale

* *Ecco qualche esempio di elementi che rinviano ad altre parole od informazioni del testo (sono in grassetto)*:

- (r.7) **Lo** so, **ti fa piacere stare con gli amici**
- (r.14-17) Anche **i tuoi amici**, perché non ce **li** hai fatti conoscere? Ce **ne** avessi parlato. Che ve **ne** parlerei a fare?

- (r. 21) Perché prima **l'hai** detto con un tono.
- (r.21-22) Come se **i soldi li** buttassi al vento.
- (r.22-23) Ma voi non **lo** sapete nemmeno, **chi è Pirandello**.
- (r.27-29) Ma **i sacrifici** che ho fatto per voi quando eravate piccoli, **di quelli**, non **ne** sapete niente.
- (r.32-33) Ti **ci** porterei io **a teatro**.
- (r.36) E di **Gisella**: fa parte anche **lei** della famiglia.
- (r.40) **Alle mie cose, ci** penso da me.
- (r.41-42) **Figlioli**, io non **vi** capisco. Un po' mi dite di lasciar**vi** in pace, un po' mi accusate di non pensare **a voi**.

4. La posizione dell'avverbio

1. Ma *almeno* a pranzo e a cena potresti stare con noi. - 2. Remo aveva *sempre* l'aria infastidita. - 3. Voi non lo sapete *nemmeno* chi è Pirandello. - 4. Un giorno a tavola ci fu un discussione, *quasi* un litigio - 5. *Appena* finito di mangiare, se la svignano.

* * *

5. IL TELEFONO

(da *Fiori giapponesi* di R. La Capria)
pagg. 203-207

A. COMPRENSIONE DEL TESTO

2. Sintesi

* *Ecco un esempio di completamento del testo (in corsivo le parole inserite):*

Ho perduto l'*agenda (o l'agendina o rubrica)* telefonica e non posso *chiamare (rintracciare / trovare)* nessuno dei miei amici. Che guaio! Molti di loro non sono nemmeno in *elenco* e io ricordo solo quello di due o tre. Ho *provato* a chiamarli ma nessuno mi ha risposto. Forse sono partiti *per* il week-end. Non mi *resta (rimane)* che aspettare che si facciano *vivi (sentire)* loro, così man mano che telefoneranno mi farò ridare il numero e *ricostruirò* l'agenda telefonica.
Ma *com'*è che non chiamano? Ormai è *un* giorno che aspetto. D'accordo avranno i loro *problemi (impegni)*, il lavoro, la famiglia, i figli, ma possibile che nessuno di loro *abbia* voglia di parlare con me?

Questo vuol dire forse che ero sempre e solo io *a* chiamarli? Ma no, sto *esagerando (sbagliando)*, forse il telefono è *rotto (guasto / isolato)*. Adesso chiamo il *centralino*. Mi hanno detto che è tutto *a posto (in ordine)*. Ma voglio verificarlo *di* persona: scendo al bar e faccio il mio numero. E' vero, è *proprio* tutto a posto.
Ora che anche la *cameriera (domestica)* se ne è andata l'appartamento mi sembra più *vuoto (deserto)*. Il telefono *tace*.
Un'idea! Quasi quasi *chiamo* la sveglia telefonica, almeno domattina sentirò finalmente *squillare (suonare)* il telefono.

B. ANALISI LINGUISTICA E TESTUALE

1. Coesione testuale

1. Degli amici. - 2. I numeri di telefono di alcuni amici. - 3. Il fatto che nessuna delle persone cui aveva telefonato rispondeva. - 4. Che fosse stato in passato solo lui a chiamare gli amici. - 5. Provò a verificare se il suo telefono funzionava correttamente.

2. Riformulazioni

* *Le parole sostituite sono in corsivo:*

1. "Molti non *erano (risultavano) nemmeno* nell'elenco telefonico." - 2. "Dunque non *gli rimaneva altro che (poteva fare altro che)* aspettare." -3. "Per *non lasciarsi prendere dall'angoscia* chiese la sveglia telefonica". - 4. Gli amici non *hanno telefonato (non si sono fatti sentire)*. - 5. *Ebbe l'impressione che non fossero stati i suoi amici ad abbandonarlo.*

3. Parole derivate

1. **geologia** - 2. **pediatra** - 3. **fonologia** - 4. **termometro** - 5. **demografia** - 6. **teologia** - 7. **geografia** - 8. **democrazia** - 9. **autonomia** - 10. **biografia** - 11. **morfologia** - 12. **telefono** - 13. **megafono** - 14. **biblioteca** - 15. **fonografo**.

* * *

6. MIO ZIO SCOPRE L'ESISTENZA DELLE LINGUE STRANIERE

(da *Narratori delle pianure* di G. CELATI)
pagg. 210-215

A. COMPRENSIONE DEL TESTO

2. Sintesi

* *Ecco l'esatta sequenza delle frasi*:

d. - e. - h. - i. - b. - l. - m. - o. - f. - n. - a. - g. - c.

* *Il testo riordinato potrebbe avere questa forma (in corsivo sono gli elementi di connessione inseriti). E' possibile inserire altri elementi informativi e altri connettivi e realizzare così un testo diverso.*

Mio nonno, pur essendo basso di statura, dovette fare il servizio militare. Lui e tutti i suoi figli facevano i muratori, *tranne mio padre*. Mio padre, *infatti*, suonava la chitarra e la fisarmonica nelle feste di paese. Mio nonno e i miei zii lavoravano *invece* tutti i giorni, anche la domenica.
Mio nonno non solo non leggeva i giornali ma era convinto che raccontassero delle favole. Lui e i suoi figli parlavano solo il dialetto del loro paese.
Mio zio un giorno litigò con il nonno e se ne andò di casa. Andò a vivere in Francia, a Digione. Lì si sposò ed imparò anche qualche espressione del dialetto di quel paese. Intanto gli era nato un figlio. Due anni dopo tornò in Italia. *E* quando tornò in Francia si accorse che suo figlio parlava una lingua straniera.
Lo zio fu, *così*, il primo nella nostra famiglia a scoprire l'esistenza delle lingue straniere.

B. ANALISI LESSICALE E LINGUISTICA

1. Gruppi semantici

* *Ecco le parole da cancellare da ciascun gruppo:*

a. - compleanno - b. espressione - c. musicista - d. fisarmonica - e. marito

2. Similitudini

1. In casa e sul lavoro era dispotico come **un re**. - 2. Mio nonno paterno era magro come *un chiodo (un'acciuga)*. - 3. Era muratore e aveva mani dure come *due pietre (l'acciaio)*. - 4. Nel camminare era lento come *una lumaca (una tartaruga)*. - 5. Uno dei figli muratori litigando con il nonno era rosso come *un peperone (un gambero, il fuoco)*. - 6. La nonna, invece, era una donna molto dolce e buona come *il pane (un pane, un angelo)*.

3. "Si" impersonale e passivante

1. *Si trovano* dialetti diversi in ogni paese in cui *si* va a vivere. - 2. Quando *si è diventati adulti si fanno* le proprie scelte indipendentemente dalle opinioni degli altri. - 3. A volte non *si leggono* giornali perché non *si crede* che possano dare notizie attendibili. - 4. Quando *non si capisce* quello che un altro dice *ci si rimane* male. - 5. *Si lavorava* di domenica come gli altri giorni. - 6. *Non ci si era mai accorti* che là parlavano francese.

4. Complementi e proposizioni

* *In corsivo sono i complementi inseriti:*

1. *Per la (A causa della) sua bassa statura*, non avrebbe dovuto fare il servizio militare. - 2. *Alla nascita del figlio* è tornato a lavorare in Italia. - 3. *Al ritorno (al rientro) in Francia* ha scoperto che suo figlio parlava in modo diverso dal suo. - 4. I sondaggi prevedono *una diminuzione dei votanti*. - 5. *Anche con la pioggia*, la gita scolastica si farà. - 6. *Per la stanchezza*, ho interrotto il lavoro. - 7. Hai fatto la domanda *di iscrizione alla prossima sessione d'esame*? - 8. Ne parleremo *alla fine dello spettacolo*.

5. Preposizioni

* *In corsivo sono le preposizioni inserite.*

Mio zio s'è allontanato *da* casa molto presto *per* andare *a* lavorare *nelle* vicinanze *di* Genova e poi *a* Nizza e *a* Digione. Ha trovato così, dialetti molto diversi *dal* suo.
Non si è mai impadronito fino *in* fondo *della* lingua francese: si serviva solo *delle* frasi necessarie *per* parlare *con* i francesi, tuttavia era *in* grado *di* capire e *di* farsi capire.

* * *

7. PASSEGGIATA IN PATTINO

(da *Agostino* di A. MORAVIA)
pagg. 217-222

B. ANALISI LESSICALE E LINGUISTICA

1. **Sinonimi**

scialbo: inespressivo - insulso - pallido - sbiadito - scolorito .
goffo: impacciato - inelegante - maldestro - rozzo - sgraziato.
ipocrita: bugiardo - doppio - falso - finto.
deserto: abbandonato - disabitato - spopolato - vuoto.
calmo: placido - quieto - rilassato - sereno - tranquillo.
grasso: adiposo - obeso - oleoso - untuoso.

2. **Polisemia**

a.
1. gruppo di amici o di coetanei che spesso agiscono insieme.
2. ciuffi o strisce di capelli
3. intervallo di frequenza di onde elettromagnetiche
4. strisce
5. compagnia di musicanti. La banda musicale è un complesso di strumenti a fiato e a percussione.
6. strisce
7. gruppo di uomini, armati o no, dedito ad azioni illegali come furti o rapine, o a guerriglia.

b. La parola mancante è **tono**.

1. replicare prontamente e in modo appropriato - 2. in questo modo - 3. elasticità e vigore - 4. livello di voce - 5. contegno, atteggiamento - 6. adatte, in sintonia - 7. brio, vivacità

3. **La particella pronominale "ne"**

a. 1. Pronome partitivo. Si riferisce a pallone. - 2. Valore pronominale. Si riferisce a "le chiavi della macchina". - 3. Valore pronominale: funge da complemento d'agente. Si riferisce ad "auto". - 4. Valore pronominale. Si riferisce "all'arredamento della camera." - 5. Complemento avverbiale: esprime un moto da luogo. Si rapporta ad America. - 6. Complemento avverbiale, con funzione deittica. Vuol dire "da qui". - 7. Valore pronominale. Si riferisce a pallone.

b.
1. Sei stato al cinema a vedere "La voce della luna"? - Sì, sono uscito proprio poco fa *da lì*.
2. Hai visto, c'è anche Francesca! Oh, scusami, non mi ero accorto *di ciò (=che ci fosse Francesca)*!
3. Prendi anche due litri di latte, mi raccomando, non dimenticarti *di ciò (=del latte)*!
4. Quello era proprio Carlo, sono sicuro *di ciò*.
5. "Ti servono proprio questi soldi?" "Sì, papà, ho assoluto bisogno *di questi (soldi)*."
6. Guarda, ci sono già le ciliege, quasi quasi compro un chilo *di queste ciliege*.
7. E' un lavoro molto delicato, vorrei che ti occupassi tu *di questo (lavoro)*.

* * *

8. IL CACCIATORE

(da *Di profilo si nasce* di G. SAVIANE)
pagg. 224-230

A. COMPRENSIONE DEL TESTO

1. Informazioni specifiche

* *Ecco delle possibili risposte alle domande relative al testo di G. Saviane:*

1. La discussione avviene nel podere del contadino.
2. Un sacchetto di plastica che posa per terra all'arrivo del contadino e naturalmente il fucile.
3. Dice che lui è lì non per i fichi ma per cacciare gli uccelli.
4. Nel sacchetto di plastica ci sono grappoli d'uva, fichi, noci e semi di girasole.
5. Prova un senso di pietà.
6. Sessant'anni, come ha sentito alla televisione.
7. Nel testo si parla di fichi, uva, noci, semi di girasole e anche di passeri e fringuelli.

2. Sintesi

a. *Esempi di possibili titoli alternativi:*
- Fuori dal mio podere!
- Giù le mani dall'uva!
- La caccia è solo una scusa.
- Un diverbio
- Cacciatori e contadini

b. *Le argomentazioni del contadino:*

Il contadino è adirato perché i cacciatori entrano nella sua proprietà e con la scusa della caccia approfittano per cogliere l'uva e ogni altro frutto di stagione che trovano sugli alberi. E' vero che ognuno prende solo una piccola quantità, ma tutti insieme fanno sì che tutto il raccolto finisca ai cacciatori e le fatiche e i risparmi del contadino vadano in fumo. E quello che lo indigna di più è il comportamento arrogante e prepotente dei cacciatori, i quali, perché hanno in mano un'arma, si sentono i padroni della campagna che attraversano. A queste ragioni personali si aggiunge il rifiuto della caccia: da quando ha saputo dalla televisione che gli uccelli vivono quanto gli esseri umani, il contadino non va più a caccia.

c. *Le giustificazioni del cacciatore:*

Il cacciatore minimizza le sue responsabilità: due fichi ed un grappolo d'uva sono poca cosa: al mercato quella roba costa quattro soldi. Lui è lì non per rubare, come afferma il contadino, ma per cacciare e la prova evidente delle sue intenzioni sono proprio quei piccoli corpi degli uccellini che egli mostra con orgoglio al contadino, come se si trattasse di un ricco trofeo. E a lui la caccia piace, e ad essa non rinuncia. Il canto degli uccelli eccita in lui la voglia di sparare.

d. *Riassunto: ecco un esempio di breve sintesi del testo di G. Saviane:*

Girando per il suo podere, un contadino scopre dietro un albero un cacciatore che coglie e mangia tranquillamente dei fichi. All'invito del contadino di lasciarli, il cacciatore replica dicendo che è lì solo per la caccia. Ma è subito sbugiardato dal sacchetto di plastica pieno di altri frutti che il contadino raccoglie ai piedi dell'albero. Tra i due nasce un'animata discussione: il contadino ricorda i sacrifici e le fatiche che gli è costato quel podere, prima per comprarlo e poi per coltivarlo, e vedere che ora i cacciatori girano da padroni cogliendo tutto quello che vogliono, lo indigna profondamente. Sulle ali della rabbia e dell'indignazione il contadino accusa apertamente il cacciatore di essere un ladro, e che la caccia è solo un pretesto per raccogliere la frutta nei poderi.

Il cacciatore all'inizio con aria sicura e arrogante, poi in modo ironico e incredulo avanza la scusa della caccia, si finge offeso e mostra con orgoglio una preda di miseri uccellini. Insomma minimizza la gravità della sua azione: cogliere qua e là qualche frutto non vuol dire essere ladri. Ma le ragioni del cacciatore non fanno altro che accrescere la rabbia del contadino e il suo odio per quanti si sentono padroni perché hanno un'arma in mano.

B. ANALISI LINGUISTICA E LESSICALE

1. Polisemia

calcio (r.6): = parte inferiore di un'arma - **vite** (r.54): = albero - **indice** (r. 23): = dito - **franco** (r.24): = sincero - **economia** (r.55): = risparmio - **fiasco** (r.63): = bottiglia - **pescare** (r.68): = trovare

2. Sinonimi

- vivere	*campare* (r.35)	- dirigersi	*avviarsi (r.77)*
- superiorità	*sussiego* (r.22)	- scoprire	*pescare* (r.68)
- tirare fuori	*estrarre* (r.19)	- prendere	*portare via* *rubare* (r.59)
- attrarre	*polarizzare* (r.29)	- piccoli	*minuscoli* (r.30)
- colorati	*variopinti (r.29)*	- rosso	*rubicondo* (r.45)

3. Campi semantici

- **disse** (r.4)	dire	- **ribatté** (r.7)	ribattere
- **pronunciò** (r.8)	pronunciare	- **rimbeccò** (r.9)	rimbeccare
- **protestò** (r.19)	protestare	- **insistette** (r.20)	insistere
- **fece** (r.22)	fare	- **sbottò** (r.24)	sbottare
- **sfidò** (r.26)	sfidare	- **balbettò** (r.36)	balbettare
- **domandò** (r.37	domandare	- **aggiunse** (r.42)	aggiungere
- **ripeté** (r.47)	ripetere	- **replicò** (r.49)	replicare
- **proruppe** (r.54)	prorompere	- **gridò** (r.64)	gridare
- **urlò** (r.68)	urlare	- **continuò** (r.71)	continuare
- **concluse** (r.77)	concludere		

4. Gruppi semantici

* *Nelle due liste i nomi degli animali domestici e degli alberi da frutto sono sottolineati.*

a. biscia - bufalo - camoscio - cane - cavallo - colombo - coniglio - corvo - fagiano - gatto - lucciola - mucca - oca - orso - pecora - porco - rana - riccio - rospo - scoiattolo - talpa - tartaruga - tacchino - tasso - topo - tordo - vitello - volpe

b. abete - castagno - ciliegio - cipresso - faggio - fico - gelso - mandorlo - melo - noce - olmo - pero - pesco - pino - pioppo - platano - susino - tiglio - vite.

* *Ecco le parole da cancellare in ogni gruppo:*

c. a. **canale** - b. **laguna** - c. **vivaio** - d. **trota** - d. **aglio**

5. I pronomi

1. [*anaforica*] - 2. [*deittica*] - 3. [*deittica, entrambi i pronomi*] - 4. [*anaforica (ce) cataforica (le)*] - 5. [*cataforica*] - 6. [*anaforica*] - 7. [*anaforica*] - 8. [*cataforica*] - 9. [*cataforica / anaforica*] - 10. [*deittica*] - 11. [*deittica* (i primi due pronomi) *anaforica* (il terzo)] - 12. [*cataforica*] - 13. [*anaforico (il primo pronome), deittica* (il 2° e il 3° pronome), *anaforica* (il 4°)]

6. Aggettivi derivati

1. **televisivo** - 2. **milanesi** - 3. **scolastiche** - 4. **incalcolabili** - 5. **superficiale** - 6. **ecologico** - **elettorale**

* * *

9. A MIA MOGLIE

(da *Il canzoniere* di U. SABA)
pagg. 234-238

A. COMPRENSIONE DEL TESTO

1. Analisi dei contenuti

1. Il poeta paragona sua moglie ad una pollastra (gallina giovane), ad una giovenca gravida, ad una cagna, ad una coniglia, ad una rondine, ad una formica e ad un'ape.
2. La pollastra simboleggia la docilità, ma anche la solennità e la grazia della donna quando cammina; la giovenca rappresenta la calma e festosa serenità della maternità; la cagna è simbolo della fedeltà e allo stesso tempo della gelosia; la coniglia rappresenta la timidezza e la riservatezza della donna; la rondine indica l'attaccamento alla casa; la formica e l'ape, infine, rappresentano la laboriosità e la previdenza della moglie.
3. Le qualità rappresentate dai diversi animali presi a paragone sono in fondo le doti e le virtù che il poeta riscontra e celebra nella moglie. E da questi paragoni emerge una donna allo stesso tempo altera e timida, dolce e forte, innamorata e gelosa, attaccata alla casa, saggia, previdente e parsimoniosa.

B. ANALISI STILISTICA E LESSICALE

1. Il lessico

* *Ecco degli esempi di termini "familiari" e di termini "letterari":*

Termini familiari: *pollastra - raspa - pettoruta - gravida - giovenca - lisci -si rannicchia - partorire*

Termini letterari: *incede - assonna - quereli - gravezza - lamentoso - volgere - pavida - angusta - provvida - pecchia.*

2. La rima

rime	**assonanze**
vento - lento	pollastra - raspa
erba - superba	mali - sai
Dio - mio	giovenca - gravezza
donna - assonna	giovenca - senza
gallinelle - quelle	scopre - soffre
sai - pollai	vederti - fermi
festosa - rosa	
suono - dono	
tanta - santa	
arda - riguarda	
fervore - signore	
tenti - denti	
cui - bui	
partorire - soffrire	
riparte - arte	
era - primavera	

3. Ordine delle parole

* *Ecco alcuni esempi:*

- fra queste hai le tue uguali	- hai le tue uguali fra queste
- il collo volge	- volge il collo
- e muggire l'odi	- l'odi muggire
- tanto è quel suono lamentoso...	- quel suono è tanto lamentoso che ...
- che l'erba strappi	- che strappi l'erba
- Ai tuoi piedi una santa sembra, che d'un fervore indomabile arda	- Sembra una santa ai tuoi piedi, che arda d'un fervore indomabile
- i denti candidissimi scopre	- scopre i denti candidissimi
- e verso te gli orecchi protende e fermi	- e protende verso te gli orecchi alti e fermi
- della rondine le movenze leggere	- le movenze leggere della rondine
- Di lei, quando escono alla campagna, parla al bimbo la nonna che l'accompagna	- La nonna che l'accompagna parla di lei al bimbo, quando escono alla campagna
- e così nella pecchia ti ritrovo	- e così ti ritrovo nella pecchia

4. Parafrasi

* *Parafrasare una poesia significa riesporne i contenuti in un linguaggio più semplice e colloquiale, più immediatamente comprensibile, perché le parole usate e la loro disposizione sono quelle della prosa.*
Quella qui proposta è una delle tante possibili parafrasi del testo di Saba. Si tratta di una parafrasi in cui si è cercato il più possibile di mantenere lo stile, l'ordine e il lessico della poesia. E' solo un esempio con il quale confrontarsi e non un modello da seguire. E' bene, anzi, cercare di costruire testi che rappresentino il diverso modo di leggere e interpretare la poesia di Saba.

Somigli a una giovane gallina cui il vento soffiando arruffa le piume, una gallina che quando beve piega il collo, una gallina che raspa per terra. Ma somigli ad essa anche quando cammini lentamente con passo ed atteggiamento regale e superbo. Come la gallina sei migliore del maschio. Tutte le femmine degli animali sono migliori dei maschi. Se il mio occhio o il mio giudizio non mi inganna, tu somigli alle galline e non alle altre donne. Ad esempio, quando ti lamenti per un qualche dolore o sofferenza la tua voce ricorda quella delle galline quando si addormentano. La tua voce è come la musica soave e triste del pollaio.

Tu somigli ad una mucca gravida, non ancora appesantita, però, dalla gravidanza, e anzi lieta di questa sua nuova condizione. Anche tu, quanto uno ti accarezza, ti volgi verso di lui con dolcezza. Se si incontra una mucca e la si sente muggire, il suo verso è cosi lamentoso che uno si sente spinto a strappare un po' di erba per offrirgliela e far cessare quel lamento. Anch'io, quando ti vedo triste, offro a te, mia cara, il mio dono.

Somigli ad una cagna distesa per terra, con tanta dolcezza negli occhi e durezza nel cuore: una cagna che inginocchiata ai piedi come una santa ardente di fervore, guarda al suo padrone come al suo Dio. La cagna segue il suo padrone ovunque, in casa e fuori, ed è pronta a ringhiare contro chiunque si avvicini a lui. Il suo amore è così esclusivo e totale da diventare gelosia.

Tu somigli alla coniglia timida e paurosa, che appena ti vede arrivare si alza dritta nella gabbia e si protende tutta verso di te. Se le porti la crusca o l'insalata, essa la prende e come per vergogna va a mangiarla rannicchiata nell'angolo più buio della gabbia. Chi potrebbe avere mai il coraggio, vedendola, di strapparle quel cibo o il pelo? quel pelo che essa si strappa quando deve preparare il nido dove far nascere i suoi piccoli? Chi, o moglie, avrebbe il coraggio di farti soffrire?

Tu somigli, ancora, alla rondine che torna in primavera e riparte in autunno. Tu, però, a differenza delle rondini, il tuo nido non lo abbandoni. In comune con la rondine hai il potere, ogni volta che arrivi, di annunciare, a me, che mi sento vecchio, una nuova primavera.

Tu somigli alla formica previdente. La sua saggezza è portata come esempio dalla nonna al nipotino durante le loro passeggiate in campagna. Ma io vedo te anche nell'ape laboriosa, così come in tutte le femmine di tutti gli animali della terra. Ritrovo in te qualità che non riesco a trovare nelle altre donne.

5. **Similitudine**

1. *Furbo* come una volpe. - 2. *Forte* come un toro. - 3. *Muto (o Sano)* come un pesce. - 4. *Viscido (infido)* come un serpente. - 5. *Candido (o puro)* come una colomba. - 6. *Lento* come una lumaca. - 7. *Affamato* come un lupo. - 8. *Nudo* come un verme.

6. **Modi di dire**

a. avere grilli per la testa.	=	*fare i capricci o anche avere idee astruse che si manifestano all'improvviso.*
b. non sapere che pesci prendere.	=	*Essere indeciso*
c. essere come cani e gatti.	=	*Non andare d'accordo.*

Esempi:

a. Come sei diventata esigente, Carla! ora vuoi questo ora vuoi quello, ora non ti sta bene una cosa ora un'altra. Ha certe pretese! Si può sapere come mai *hai tutti questi grilli per la testa*?
b. Che faccio? se non lo dico, mia madre soffrirà di più, ma se parlo mio padre si arrabbierà. *Non so proprio che pesci prendere.*
c. Sono fratelli, eppure sembrano *essere cani e gatti*: tutte le volte che sono insieme non fanno altro che litigare e discutere.

7. **Metafora**

1. Essere molto intelligente e acuto. - 2. dormiglione. - 3. stupida, sciocca. - 4. scontroso, poco socievole. - 5. cieca (non ci vede bene) - 6. ignorante.

Sezione V SCUOLA E DINTORNI

1. UN INSUCCESSO SCOLASTICO

(da *Il Giardino dei Finzi Contini* di G. BASSANI)
pagg. 242-247

A. COMPRENSIONE DEL TESTO

2. Ricerca lessicale

a. orali - interrogare - ponte dell'asino - pagella - materie letterarie - consecutio temporum - periodo ipotetico - dire a memoria - ottave - commissione - quarta ginnasiale - strappare il sei - scrutini finali - bocciatura - lezioni private - consiglio dei professori - rinvio a ottobre - rimandato a ottobre - tabella delle medie - cinque rosso - avere una materia.

b. latino - greco - italiano - storia - geografia - matematica (algebra e geometria).

B. ANALISI LINGUISTICA E TESTUALE

1. Coerenza semantica

- "consecutio temporum" (r.7)	rimanda a	*latino* (r.7)
- "passo dell'Anabasi" (r.9)	" →	*greco* (r.8)
- "in italiano" (r.10)	" →	*Promessi Sposi* (r. 11)
- "grosso fiasco" (r.17)	" →	*l'avevo combinato* (r.17)
- "quel minimo" (r.21)	" →	*il sei* (r.21)
- "rinvio a ottobre" (r.33)	" →	*bocciatura* (r. 30)
- "qualsiasi punizione" (r. 42)	" →	*mi avrebbe picchiato* (r. 42)
- "la vista" (r.49)	" →	*guardai* (r.49)

2. Correlazioni semantiche

1. materie scientifiche - 2. Ariosto - 3. università - 4. studente - 5. sintassi - 6. bicicletta - 7. gallina - 8. dito - 9. mare (o lago) - 10. naso - 11. vini - 12. tribunale

3. Polisemia

1. [c] - 2. [a] -3. [b] - 4. [b] - 5. [a] - 6. [b] - 7. [c] - 8. [b] - 9. [b] .

4. Antonimi

- promuovere	↔	bocciare	- realtà	↔	irrealtà
- piangere	↔	ridere	- iniziale	↔	finale
- pubblico	↔	privato	- sovrapporre	↔	sottoporre
- paura	↔	coraggio	- premiare	↔	punire
- inquieto	↔	tranquillo (sereno)	- facilità	↔	difficoltà

5. Il condizionale composto

1. Fra me e me pensavo che quando mio padre l'avrebbe saputo (l'avesse saputo) mi avrebbe picchiato. - 2. Si domandò se avrebbe avuto ancora una volta l'appoggio della professoressa Fabiani. - 3. Mi chiese chi sarebbe venuto con noi. - 4. In quei momenti pensavo che qualsiasi punizione sarebbe stata preferibile al rimprovero muto dei suoi occhi. - 5. Mi chiedevo come sarebbero state le mie vacanze con le lezioni private di matematica che avrei dovuto seguire. - 6. Il povero studente si chiedeva quando sarebbe finito quel tormento.

* * *

2. GILDA

(da *Racconti* di E. VITTORINI)
pagg. 249-254

A. COMPRENSIONE DEL TESTO

2. **Sintesi**

* *Le parole in corsivo sono quelle inserite per completare il brano.*

Gilda e Adolfo erano cresciuti insieme. Abitavano nello stesso *palazzo (edificio)*, andavano a scuola insieme e insieme *giocavano (si divertivano / studiavano)* nel giardino.

Con il tempo fra i due *giovani (ragazzi)* nacque una tenera amicizia. Adolfo amava ogni cosa che *riguardava (o interessava, faceva)* Gilda, perfino le materie dell'Istituto *Tecnico* che lei frequentava. Infatti, nonostante che Adolfo fosse uno studente del *Liceo* classico si mise a studiare le scienze *fisiche* e chimiche e la matematica per fare i *compiti* insieme a Gilda. E arrivò addirittura a *chiedere* ai propri genitori di poter *iscriversi* all'Istituto Tecnico.

La richiesta trovò la più *netta (forte, decisa)* opposizione dei genitori, che mai e poi mai *avrebbero* tollerato che il loro figlio frequentasse una scuola per figli d'*operai* .

Le espressioni *ingiuriose (offensive)* usate dai genitori di Adolfo giunsero all'*orecchio* dei genitori di Gilda, i quali si offesero e *ruppero (troncarono)* ogni rapporto di amicizia. Dopo un po' *cambiarono* casa ed andarono ad abitare fuori città. Da allora Gilda e Adolfo non si frequentarono più, non *stettero (studiarono)* più insieme. Ogni tanto Adolfo la incontrava per *strada*, la guardava da lontano e cominciò ad affezionarsi ai suoi abiti.

Anche dopo molto tempo il *ricordo* di Gilda era legato a quegli incontri di quelle mattine *invernali* in cui la vedeva imbacuccata nella sua pelliccia di gatto russo.

B. ANALISI LESSICALE

1. **Campi semantici**

- oggetti scolastici: *quaderni, matite, pennini, libri, testi*
- abbigliamento: *abiti, pelliccia, guanti, cappellino, calze, scarpine, mantello*
- discipline scolastiche: *latino, greco, matematica, fisica, chimica, disegno, algebra, trigonometria*
- parentele: *genitori, padre, madre, marito, figlio, figlia, madrigna*

2. Sinonimi

1. **camuffare** → mascherare [X] - 2. **celare** → nascondere [X] - 3. **stento** → difficoltà [X] - 4. **allusione** → accenno [X] - 5. **sloggiare** → espellere [X] - 6. **voluttuoso** → sensuale [X] - 7. **parvenza** → immagine [X]

3. Modi di dire

1. guardarsi in cagnesco = *odiarsi* - 2. prendere le sue parti = *difendere qualcuno, condividere il punto di vista di un altro* - 3. dopo averlo portato su con tanti stenti = *dopo averlo allevato (cresciuto) con tanti sacrifici* - 4. Che hanno per la testa questi avvocatucci? = *Che cosa si credono di essere questi avvocati da strapazzo?* - 5. Il latino monta loro il sangue. = *Il latino li rende superbi ed orgogliosi.*

C. ANALISI TESTUALE E LINGUISTICA

1. Coesione testuale

1. Sono i figli: Gilda e Adolfo. - 2. Fa riferimento alla discussione animata tra i genitori di Adolfo e il figlio. L'allusione offensiva è l'affermazione fatta dal padre di Adolfo secondo la quale l'Istituto Tecnico è adatto ai figli degli operai, vale a dire ai figli di una classe sociale inferiore. - 3. Sono i genitori di Adolfo. - 4. Soffriva del fatto che lei non portasse più un certo abito o capo d'abbigliamento al quale lui in qualche modo si era "affezionato". - 5. Per dirle che non la vedeva più indossare un particolare abito o accessorio d'abbigliamento, e che lui ne soffriva.

2. Infinito preposizionale

* *In corsivo sono le preposizioni inserite.*

1. E' arrivato *a* dire che avevo cominciato io *a* parlare ad alta voce. - 2. Non potendo più sopportare quel rumore, ha finito *per* andarsene. - 3. Per la felicità non riusciva *a* trattenere le lacrime. - 4. La sua timidezza gli impediva *di* rivelarle tutto il suo affetto. - 5. Ho cercato *di* convincerlo *a* desistere dal proposito, ma non c'è stato verso. - 6. Ti prego *di* non farlo. - 7. Lo ha spinto *a* tentare la fortuna con le carte.

3. **Riformulazioni**

* *In corsivo sono le parole nuove.*

1. *Le persone* più care non si riconoscono più: *ad altre persone* ad altri incanti *noi siamo sottomessi (soggetti) senza rimedio*. - 2. Il tempo l'*aveva cambiata* (trasformata). - 3. Le famiglie *erano diventate amiche a causa dei figli (erano in buoni rapporti per via dei figli)*. - 4. *La notizia della lite in famiglia* giunse all'orecchio del padre di Gilda. - 5. Mio padre *dirigeva (guidava)* una fabbrica. - 6. Il ricordo più *vicino (fresco) (o L'ultimo ricordo che aveva)* di lei era appunto di quelle mattine invernali.

* * *

3. LO SCOLARO PALLIDO

(da *Il gioco segreto* di E. MORANTE)
pagg. 256-262

B. ANALISI LESSICALE E LINGUISTICA

1. **Polisemia**

* *Anche per questo esercizio le frasi qui proposte hanno una funzione puramente esemplificativa, dato il numero, praticamente illimitato, di frasi in cui potrebbero occorrere le parole suggerite nel testo.*

1. Molti lo considerano una persona di *spirito* solo perché quando parla i suoi amici si mettono a ridere. - 2. Il quadrato è una *figura* piana. - 3. Chiudi la finestra, l'*aria* è piuttosto fredda stamattina! - 4. Era molto preoccupato: lo si capiva anche dal *tono* della voce. - 5. Io e Francesca, tornando a casa, abbiamo fatto un *tratto* di strada insieme. - 6. I genitori si opponevano al loro fidanzamento perché erano di *classe* sociale diversa. - 7. Improvvisamente un *banco* di nebbia ha ridotto la visibilità ad una ventina di metri. - 8. A *capo* della banda di scippatori c'era un ragazzo di appena quattordici anni.

2. **Antonimi**

1. agitazione	↔	*quiete* (r.9)	2. alzarsi	↔	*sedersi (r.)*
3. assenza	↔	*presenza (r.22)*	4. calante	↔	*crescente (r.16)*
5. discreto	↔	*curioso (r.8)*	6. freddezza	↔	*entusiasmo (r.3)*
7. maestro	↔	*discepolo (r.23)*	8. mettersi	↔	*levarsi (r.50)*
9. sfrontatezza	↔	*timidezza (r.27)*	10. sposato	↔	*celibe (r.17)*

3. **Sinonimi**

* *Ecco le parole da cancellare in ogni gruppo:*

1. discendente - 2. brigante - 3. guida - 4. sentenza - 5. adulto.

4. **Suffissi**

a. *In corsivo è indicato il significato.*

1. **vertiginoso**: da vertigine. - *Che può provocare vertigine, esagerato, eccessivo o incredibile.*
2. **favoloso**: da favola. - *Incredibile, enorme, o anche straordinario e bellissimo.*
3. **impetuoso**: da impeto - *Persona che agisce d'impulso o si lascia trasportare istintivamente da sentimenti improvvisi.*
4. **luminoso**: da lume. - *Che emette luce, o è chiaro, evidente.*
5. **dubbioso**: da dubbio. - *Chi dubita o è pieno di dubbi.*
6. **noioso**: da noia. - *Indica qualcuno o qualcosa che procura o causa noia.*
7. **superstizioso**: da superstizione. - *Chi crede in una o più superstizioni*
8. **ombroso**: da ombra. - *Si dice di un luogo ricco di ombra, o di persona che si offende facilmente anche per cose di poca importanza.*
9. **afoso**: da afa. - *Molto caldo, tale da soffocare, insopportabile.*

b.

1. **barboso** : si dice di persona o di discorso noioso - **barbuto**: è chi ha una lunga barba.
2. **fantasioso** : è una persona che ha molta fantasia - **fantastico** : si dice di una cosa o persona molto bella e affascinante.
3. **festoso**: allegro, lieto, proprio di chi fa festa a qualcuno - **festivo**: che si riferisce a festa, ad es.: giorno festivo
4. **terroso**: sporco di terra o misto a terra - **terrestre** : che appartiene alla terra intesa come mondo e pianeta
5. **acquoso** : che è pieno o costituito di acqua - **acqueo**: che si riferisce ad acqua; ad es.: vapor acqueo

6. **industrioso** : chi si impegna o si dà da fare - **industriale**: si riferisce ad industria o indica chi ha un'industria
7. **pericoloso**: che comporta rischio o pericolo - **pericolante** : che minaccia di crollare o cadere
8. **numeroso**: costituito da molte unità o elementi - **numerico** : che si riferisce a numero; es.: simbolo numerico
9. **ufficioso**: che pur non essendo ufficiale, ha elementi tali da essere considerato come rappresentante il pensiero o la volontà dell'autorità - **ufficiale** : che è deciso o voluto dalla pubblica autorità, o è secondo le regole e le norme stabilite
10. **penoso**: che muove a pietà o compassione oppure faticoso e sgradevole - **penale**: che riguarda la pena che l'autorità giudiziaria può infliggere
11. **carnoso**: di corpo e aspetto che è pieno e rotondo - **carnale**: che riguarda il corpo umano, l'esperienza sensibile, la materia; es.: rapporto carnale.

5. Modi di dire

1. entrare in punta di piedi:	*entrare senza farsi sentire o notare.*
2. tendere tranelli:	*cercare di ingannare o far cadere qualcuno sia in senso reale che figurato.*
3. osservare di sbieco:	*guardare qualcuno di traverso, senza farsi notare.*

6. Nominalizzazione

1. Non sapeva *il suo nome*. - 2. Gli allievi avevano intuito ***la malattia (il malessere) del professore***. - 3. Veramente il professore non ignorava ***la presenza di quello scolaro***. - 4. Negava ***il mio accordo con lui***. - 5. Aspettava ***il ritorno di suo marito*** dal viaggio per raccontargli tutto.

7. Subordinazione e Coordinazione

1. La scuola era cominciata da parecchi giorni, ma egli non aveva mai chiamato alla lavagna lo scolaro. - 2. In giovinezza era stato uno spirito impetuoso e curioso, ma ormai la sua vita aveva un ritmo tranquillo e monotono. - 3. Soffriva d'insonnia e per questo la sera non riusciva ad addormentarsi. - 4. E' tornato a casa dopo la lezione e si è buttato stanco morto sul divano. - 5. Entrava in classe in punta di piedi, si sedeva al primo banco a sinistra e nessuno se ne accorgeva. - 6. Il professor Meldolesi si era adoperato in mio favore, ma io non riuscii a fare una bella figura.

4. INSEGNANTE D'ITALIANO

(da *Treno di panna* di A. De Carlo)
pagg. 264-269

A. COMPRENSIONE DEL TESTO

3. Sintesi

* *In corsivo sono le parole inserite.*

Al centro di Beverly Hills, al settimo *piano* di un palazzo alto, c'è una scuola di lingua frequentata soprattutto da gente *famosa (ricca / facoltosa / del cinema)*. Qui il giovane Giovanni Maimeri ha un *incontro (colloquio)* con il direttore per un incarico di insegnante d'italiano. Lo riceve nel suo ufficio la segretaria, che *gli* consegna un modulo da *completare (riempire / compilare)* con informazioni relative al suo *curriculum*. Una volta compilato il foglio, la segretaria va ad *avvertire (avvisare / informare)* il direttore della scuola. Questi arriva quasi subito, si *presenta* e accompagna l'aspirante *insegnante (professore / docente)* nel proprio ufficio. Il colloquio è piuttosto formale e generico, il direttore è *imbarazzato (indeciso / evasivo / titubante)*, non sa come introdurre il discorso dello *stipendio*. Finalmente si decide e *dice (informa / afferma)* che la tariffa è di sei dollari l'ora. La *cifra (paga)* sta bene a Giovanni ed il direttore *ne* è soddisfatto.

Successivamente la segretaria illustra il *metodo* della scuola al nuovo insegnante. Il metodo si *basa (fonda)* su una tecnica di *insegnamento* che la segretaria chiama "il trapano", in quanto si ripete con una certa *insistenza (ossessione / noia / monotonia)* la stessa parola inserita in frasi *brevi (ridicole / assurde)* e banali. Dopo la breve lezione dimostrativa, la segretaria *consegna (dà)* a Giovanni il libro di testo e *gli* ricorda che la prima lezione è *fissata (stabilita / prevista)* per le dodici di due giorni *dopo*. E prima che Giovanni *esca (se ne vada)* lo informa che *l'allieva* è la famosa attrice Marsha Mellows.

B. ANALISI LINGUISTICA

1. Polisemia

1. [a] - 2. [a] - 3. [c] - 4. [b] - 5. [a] - 6. [b] - 7. [a]

2. **Sinonimi**

* *Tra parentesi è indicata la riga del testo in cui è presente il sinonimo.*

1. salario	*stipendio* (r.51)	2. calzoni	*pantaloni* (r. 28)
3. sala d'attesa	*anticamera* (r.2)	4. attendere	*aspettare* (r. 24)
5. modulo	*foglio* (r.19)	6. un momento	*un attimo* (r. 24)
7. discepolo	*allievo* (r. 62)	8. falso	*finto* (r. 11)
9. mediante	*attraverso* (r.63)	10. piegarsi	*inclinarsi* (r. 42)
11. spago	*cordino* (r. 77)	12. voltare	*girare* (r. 36)
13. lieve	*soffice* (r.10)	14. rendere difficile	*complicare* (r. 81)

3. **Riformulazioni**

* *Quelli che seguono sono solo dei suggerimenti di possibili verbi alternativi al semplice "dire".*

1. Mi ha chiesto... - 2. ha fatto... - 3. Gli ho risposto... - 4. De Boulogne ha cominciato.... - 5. Ho replicato "Bè" - 6. Ho risposto di sì. - 7. Lui ha esclamato... - 8. Io aggiungevo... - 9. in una frase contratta ha osservato... - 10. Gli ho risposto subito...

4. **Discorso indiretto**

* *In corsivo sono le subordinate in "discorso indiretto"*

1. Mi ha detto *di aspettarlo un attimo.* - 2. Lui mi ha chiesto *se per caso fossi (o ero) parente del musicista.* - 3. Ha chiesto in tono sommesso e *sicuro se avevo visto (o avessi visto) le fotografie in anticamera.* - 4. Lui ha detto *che erano i loro clienti, e che era per quello che stavano molto attenti a scegliere chi insegnava.* - 5. Mi ha detto *che ai loro insegnanti davano di solito sei dollari.* - 6. Lei mi domandava *cosa fosse quella.* - 7. Mi ha chiesto *se sapevo già chi fosse la mia allieva.* - 8. Mi ha detto *che allora ci saremmo visti due giorni dopo alle dodici in punto.*

* * *

5. EROI A PIE' DI PAGINA

(di C. AUGIAS)
pagg. 271-277

B. ANALISI LINGUISTICA E TESTUALE

1. Coesione testuale

1. Delle cinque grandi potenze citate: Gran Bretagna, Germania, Francia, Austria-Ungheria, Russia. - *Rinvio anaforico .*
2. Quello della marginalità dell'Italia. - *Rinvio anaforico*
3. Si riferisce all'Italia, desumibile dal contesto generale e dal fatto che la frase che precede ha come soggetto "La posizione italiana". - *Rinvio anaforico*
4. Sono le sconfitte militari, i disordini civili, gli squilibri economici. - *Rinvio cataforico.*
5. Nella prima guerra mondiale. - *Rinvio anaforico.*
6. Al fatto che l'Italia entra nella prima guerra mondiale in un momento successivo rispetto alla Germania. - *Rinvio anaforico.*
7. All'ambiguità italiana. - *Rinvio cataforico.*
8. "All'Italia venne riconosciuto lo status di membro del Consiglio dei quattro..." - *Rinvio cataforico.*
9. Il boom economico e la frequente caduta dei governi. - *Rinvio cataforico.*

2. Connettivi

Insomma (r.5): *sintetizza quanto detto prima* - **così** (r.13): *in questo modo, si riferisce a quello che viene descritto subito dopo* - **o... o...** (r.14-15): *introducono le caratteristiche fra loro alternative che si riferiscono agli altri Stati europei* - **sicché** (r.26): *introduce la conseguenza del tentativo fatto dall'Italia di diventare una grande potenza* - **in generale** (r. 28): *in breve* - **però** (r.30): *ha valore avversativo* - **ma anche** (r.31) *aggiunge alle altre un'altra informazione* - **per esempio** (r.32): *introduce una esemplificazione di quanto è stato detto* - **ma** (r.34): *introduce un'informazione che contrasta con quella generale data nella frase principale.* - **mentre** (r.36): *introduce un'avversativa* - **nonostante ciò** (r.50): *in contrasto con quanto è stato detto fin lì* - **e neanche** (r.63): *aggiunge altre esclusioni* - **pure** (r. 65): *ha valore avversativo* - **anche se** (r.67): *ha valore concessivo.*

3. **Riformulazioni**

* *In corsivo sono le parole nuove.*

1. La marginalità dell'Italia *nell'ambito* europeo è un *elemento (fatto)* ricorrente. - 2. In *tutt'e due* le guerre l'intervento italiano non coincide con quello degli altri Paesi. - 3. In un testo *molto (ampiamente / largamente)* adottato nei licei della Baviera l'entrata dell'Italia nella *prima guerra mondiale appare* solo in *una scheda* cronologica. - 4. E' una posizione *continua* nella storiografia *inglese*. - 5. Da Parigi si diffuse *la voce (o diceria)* che la vittoria italiana nel '18 *era stata sminuita (dimezzata)*. - 6. *Non compare (non è presente)* nemmeno Guglielmo Marconi. - 7. La morte di Mussolini conclude *la guerra*. - 8. Due notizie *risaltano* tra quelle del dopoguerra.

4. **Suffissi**

parola	suffisso	tipo	parola base	altri esempi
1. coloniale	-ale	aggettivo	colonia	mondiale, costituzionale...
2. secondario	-ario	aggettivo	secondo	solitario, primario, utilitario...
3. scolastico	-ico	aggettivo	scuola	entusiastico, prosaico...
4. fascismo	-ismo	sostantivo	fascio	socialismo, futurismo...
5. avvenimento	-mento	sostantivo	avvenire	spostamento, sollevamento...
6. americano	-ano	aggettivo	America	italiano, manzoniano...
7. citazione	-zione	sostantivo	citare	esagerazione, colorazione...

5. **Il prefisso "anti-"**

- antifascista *(opposizione)* - anticamera *(anteriorità nello spazio)* - anticarie *(opposizione)* - antinfluenzale *(opposizione)* - antipasto *(anteriorità nel tempo)* - antiporta *(anteriorità nello spazio)* - anticoncezionale *(opposizione)* - antifurto *(opposizione)* - antiruggine *(opposizione)* - antitetanico *(opposizione)* - antivigilia *(anteriorità nel tempo)* - antidogmatico *(opposizione)* - antistante *(anteriorità nello spazio)* - antidiluviano *(anteriorità nel tempo)* - antifebbrile *(opposizione)*

* * *

6. LA LINGUA ITALIANA È SESSISTA?

(di B. PLACIDO)
pagg. 278-285

B. ANALISI LINGUISTICA

2. Nomi mobili

1. professoressa	↔	*professore*	2. collega	↔	*collega*
3. operaio	↔	*operaia*	4. poeta	↔	*poetessa*
5. padrona	↔	*padrone*	6. studente	↔	*studentessa*
7. pittrice	↔	*pittore*	8. scrittrice	↔	*scrittore*
9. infermiere	↔	*infermiera*	10. albergatore	↔	*albergatrice*
11. monaco	↔	*monaca*	12. gallina	↔	*gallo*
13. eroe	↔	*eroina*	14. contessa	↔	*conte*
15. marchese	↔	*marchesa*	16. sarto	↔	*sarta*
17. ricercatore	↔	*ricercatrice*	18. principe	↔	*principessa*

3. Nomi indipendenti

1. e.	nuora / genero	2. i.	sorella / fratello
3. l.	marito / moglie	4. a.	celibe / nubile
5. h.	maschio / femmina	6. c.	frate / suora
7. m.	fuco / ape	8. d.	toro / vacca
9. f.	montone / pecora	10. g.	donna / uomo
11. b.	madre / padre		

4. Nomi diversi

* *In alternativa alla traduzione nella propria lingua madre, si potrebbero così spiegare le parole proposte:*

1. **il pianto** = l'azione del piangere - **la pianta** = albero
2. **la fine** = il termine, la conclusione - **il fine** = lo scopo, l'obiettivo
3. **il baleno** = lampo, luce improvvisa - **la balena** = grosso mammifero cetaceo.
4. **la colla** = sostanza che serve per unire due oggetti o superfici. - **il collo** = parte del corpo che unisce la testa al tronco.
5. **il gambo** = fusto sottile che sostiene fiori, foglie e frutti nelle piante erbacee. - **la gamba** = arto inferiore del corpo umano.

6. **la regola** = legge, norma da rispettare - **il regolo** = listello di legno o di metallo per tracciare linee o per misurare.
7. **il velo** = tessuto leggero, sottile e trasparente. - **la vela** = tela più o meno grande che, fissata all'alberatura di una nave o barca, riceve la spinta del vento e permette alla nave o barca di muoversi.
8. **la manica** = la parte di un vestito che copre le braccia - **il manico** = parte di un oggetto o strumento che serve per sollevarlo o afferrarlo.
9. **il mento** = parte inferiore del viso che si trova al di sotto della bocca. - **la menta** = pianta erbacea dalle foglie aromatiche usate in cucina o per estrarne l'olio.
10. **la capitale** = la città principale di uno stato dove risiede il governo - **il capitale** = il complesso dei beni posseduti, o il denaro investito in un'impresa o depositato in una banca
11. **il cappello** = copricapo - **la cappella** = piccolo edificio sacro destinato al culto o alla sepoltura.
12. **la colpa** = atto o comportamento contrario ad una norma morale o civile. - **il colpo** = atto o modo di colpire, percossa.

5. Maschile o femminile?

* *Gli elementi inseriti sono evidenziati in grassetto.*

Cara Patrizia,

scusami se non sono venuta da te venerdì scorso e se non mi sono fatt**a** viv**a** prima di ora. Ma non sai cosa mi è accaduto. Proprio mentre venivo da te ho avuto **uno** spiacevole incidente. All'altezza del semaforo di piazza Rossini un'automobile che veniva ad alta velocità mi ha tamponato, facendomi, nell'urto, andare a sbattere con la macchina che procedeva davanti a me. Nello scontro mi sono ferit**a** alla fronte e al ginocchio sinistro.

Nella macchina che mi ha tamponato c'erano **il** prefett**o** di Ferrara, tale Franca Guidi e **il** sindac**o** della nostra città, **la** signor**a** Luisa Fede, che nell'incidente non hanno riportato neanche un piccolo graffio.

All'incidente ha assistito anche **un** vigil**e** urban**o**. Quest**i**, una donna molto gentile e cortese, mi ha aiutat**o** ad uscire dalla macchina ed ha fatto chiamare subito l'ambulanza, che è arrivata nel giro di cinque minuti. **Il** medico dell'ambulanza sicuramente **lo** conosci: è la figlia dei signori Vincenzi, che abitano la palazzina di fronte al nostro palazzo. Mi ha medicato le ferite alla fronte e mi ha accompagnato prima al Pronto Soccorso dell'Ospedale per una radiografia e successivamente alla clinica ortopedica. Qui **il** primari**o** in persona, **la** dottor**essa** Carla Freccero, mi ha applicato il gesso alla gamba sinistra.

Tre giorni dopo, quando ero già tornat**a** a casa, mi è arrivata dal tribunale la comunicazione di presentarmi giovedì della prossima settimana nell'ufficio de**l** pretor**e**, dottor**essa** Luisa Carnevale, per testimoniare sull'incidente.

Senti, Patrizia, potresti accompagnarmi tu dal pretore? La mia macchina non sarà pronta prima di quindici giorni: si trova dal meccanico di via Verdi, che, guarda caso, è una donna.

Ciao, ti aspetto.

tua Serena.

* * *

7. VI ODIO CARI STUDENTI...

(da *Empirismo eretico* di P. P. PASOLINI)
pagg. 286-289

A. COMPRENSIONE DEL TESTO

2. **Parafrasi**

Gli studenti presentano alcuni tratti *caratteristici (tipici, propri)* della condizione esistenziale dei *giovani* di oggi, come la paura, l'incertezza e la *disperazione*: ma anche caratteristiche proprie del loro *stato* sociale come la *sicurezza*, l'arroganza, la prepotenza e *la sfacciataggine*. Pasolini prova verso di loro un *forte (profondo)* sentimento di disprezzo.

Per questo quando il giorno *prima (precedente, avanti)* il poeta ha assistito agli *scontri* tra la polizia e gli studenti all'Università di *Valle Giulia (Roma)* ha istintivamente *simpatizzato* con i poliziotti, perché figli di *povera gente*.

B. ANALISI STILISTICA E LESSICALE

1. **Riferimenti a fatti specifici:**
   v.9: "*Quando ieri a Valle Giulia avete fatto a botte / con i poliziotti*" Fa riferimento ad un fatto specifico.
   v.16: "*Le preziose mille lire*"
   v.29 "*(per una quarantina di mille lire al mese)*- E' lo stipendio del poliziotto: la cifra riflette il valore della moneta italiana nel '68.

2. **Connotazioni:**

- studenti: *pavidi , incerti, disperati, prepotenti, sicuri, ricattatori, sfacciati.*
- poliziotti: *figli di poveri, vengono da subutopie, vestiti come pagliacci, puzzano di rancio, fureria e popolo, ridotti senza più sorriso o amicizia, separati, esclusi, umiliati.*

3. **Odio e simpatia**:

L'odio emerge dalla ripetizione del verbo odiare all'inizio, dalla descrizione negativa degli studenti (*"lo stesso occhio cattivo" "disperati, prepotenti, ricattatori, sfacciati"*)

La simpatia per i poliziotti si rivela nei riferimenti alla famiglia (*"padre rimasto ragazzo"; "madre incallita.. o tenera come un uccellino"*), alla casa (*"casupola tra gli orti"*), e si manifesta nella pietà per come sono ridotti ("*senza più sorriso, amicizia, separati, umiliati ed esclusi*")

5. **Esempi di espressioni popolari**:

v. 9: *avete fatto a botte*
v.18: *incallita come un facchino*
vv.22-23: *i bassi sulle cloache*
vv.26-27: *che puzza di rancio fureria e popolo*
v.29: *(per una quarantina di mille lire al mese)*

6. **a. Esempi di parole evidenziate**:

v.2: *vi odio* - v. 10: *con i poliziotti* - v.18: *la madre* - v.32: *separati*

b. Esempi di parallelismo:

v. 1 e 4: *Avete facce di figli di papà / avete lo stesso occhio cattivo*
v.16-17 e 18-19: *il padre rimasto ragazzo... / la madre incallita come un facchino, o tenera / ... come un uccellino*
v.30-31: *senza più sorriso / senza più amicizia*
v.32-33: *separati / esclusi*

c. Esempi di frasi nominali:

vv.18-23: *La madre incallita ....*
vv. 30-35: *senza più sorriso / separati / esclusi (...) umiliati dalla perdita della qualità di uomini / per quella di poliziotti.*

d. Il tono in crescendo si nota nelle descrizioni degli studenti prima e poi dei poliziotti:

v.5: *Siete pavidi, incerti, disperati*
v.7: *prepotenti, ricattatori, sicuri e sfacciati*
vv.30-34 *senza più sorriso / senza più amicizia col mondo / separati / esclusi ... / umiliati...*

Sezione VI RIDERE E SORRIDERE

1. RICEVIMENTO IN FAMIGLIA

(da *Manuale di conversazione* di A. CAMPANILE)
pagg. 294-300

B. ANALISI LESSICALE E LINGUISTICA

1. Derivazione

* *Ecco un esempio di aggettivi derivati dai nomi suggeriti:*

1. mania → *maniacale* - 2. vittima → *vittimistico* - 3. problema → *problematico* - 4. festa → *festivo, festoso, festaiolo* - 5. servizio → *servizievole* - 6. mattina → *mattiniero* - 7. signore → *signorile, signoresco* - 8. salotto → *salottiero* - 9. colpa → *colposo, colpevole*

2. Parafrasi esplicative

1. Ho trascorso le vacanze in un albergo *economico* (che costava poco). - 2. Serviva gli ospiti con mani tremanti seppur *guantate* (rivestite di guanti). - 3. Avanzava con un'aria *regale* (da regina). - 4. Conduceva una vita simile a quella di un animale *selvatico* (che vive allo stato brado). - 5. Ho preso una decisione *irrevocabile* (da cui non intendo recedere).

3. Coesione testuale

1. A quelle in cui Teresa dà dei ricevimenti. - 2. Prima dell'inizio della festa vera e propria. - 3. Tutte le sciocchezze che Teresa fa o dice durante i preparativi. - 4. Quello che succede durante i preparativi. - 5. Quelle in cui Teresa dà i ricevimenti. - 6. La cameriera si era licenziata. - 7. Della "gaffe" commessa da Teresa che aveva scambiato la moglie del capufficio del marito per la cameriera inviata dall'agenzia. - 8. Di scambiare una persona per un'altra.

4. Modi di dire

* *Ecco degli esempi di possibili contestualizzazioni delle frasi idiomatiche suggerite:*

1. Quando gli rispose che dei suoi soldi non sapeva che farne, lui lo *guardò con occhi di basilisco*. - 2. Il direttore non *vede di buon occhio* quelli che sistematicamente arrivano in ritardo in ufficio. - 3. Tutti questi tuoi discorsi sul perfetto funzionamento di questa vecchia macchina sono solo un tentativo di *gettare polvere negli occhi*. - 4. Questa volta ne ho combinata una grossa: speriamo che mio padre *chiuda un occhio* e ci passi sopra. - 5. E' vero, è molto bella questa Ferrari: ma l'ho anche *pagata un occhio della testa*. - 6. Avevo un terribile mal di denti e *non ho chiuso occhio* tutta la notte. - 7. Si era fermata davanti alla vetrina e guardava le torte esposte: le *divorava con gli occhi*. - 8. Quando è con Rita, Marco si trasforma: è gentile, tenero, languido, e quando la guarda *fa gli occhi di triglia*.

5. Il verbo "dare"

a. *Esempi di verbi alternativi al verbo "dare":*

1. La finestra del soggiorno **guarda** (o si affaccia) sulla piazza del municipio. - 2. Si è offesa perché un'amica le **ha detto che è un'**ingenua. - 3. Il professore mi **ha chiesto di** tradurre questa lettera. - 4. L'incendio è scoppiato perché qualcuno **ha appiccato** il fuoco ad alcuni rami secchi. - 5. Mi **infastidisce** (o mi disturba) il suo modo di fare. - 6. Quest'anno la vigna **ha prodotto** poca uva. - 7. C'è rimasto poco tempo: **sbrigati a** finire! - 8. **Hai innaffiato** i gerani sul terrazzo?

b. *Ecco i corretti abbinamenti:*

1. dare battaglia	=	d.	combattere, non arrendersi
2. dare carta bianca	=	h.	concedere libertà d'azione
3. darsi da fare	=	o.	impegnarsi
4. darla a bere	=	i.	far credere
5. darsela a gambe	=	e.	scappare
6. dare alla luce	=	q.	partorire
7. dare atto	=	c.	riconoscere
8. dare i numeri	=	l.	farneticare, sragionare
9. dare alla testa	=	n.	ubriacare
10. dare nell'occhio	=	b.	attirare l'attenzione
11. darsi alla macchia	=	p.	nascondersi
12. dare la mano	=	g.	salutare
13. dare una mano	=	a.	aiutare
14. darsi delle arie	=	m.	vantarsi
15. darsi pace	=	f.	rassegnarsi

6. **Riformulazioni**

* *Soluzioni:*

1. a d - 2. c - 3. b d - 4. d - 5. b c - 6. b c.

* * *

2. STORIA DI UNA CONTRAVVENZIONE

(da *Così parlò Bellavista* di L. DE CRESCENZO)
pagg. 301-307

B. ANALISI TESTUALE E LINGUISTICA

1. Coesione testuale

a.

1. multa (r.1)	→	*contravvenzione* (r.55)
2. conducente (r.33)	→	*tassista* (r.1)
3. automezzo (r.13)	→	*taxi* (r.32)
4. documenti (r.25)	→	*patente e libretto di circolazion*e (r.23-24)
5. guardia (r.19)	→	*vigile* (r.23)
6. folla (r.51)	→	*tanti spettatori* (r.32)
7. abbuscare (r.37)	→	*guadagnare* (r.16)
8. tirare fuori una lira (r.31)	→	*pagare* (r.38)
9. chi sta seduto dietro (r.25)	→	*passeggero* (r.21)

b.

a. pagare la multa:	4 volte [rr.5, 28, 33, 38]
b. andare di fretta:	4 volte [rr. 7, 10, 47, 50]
c. agli aliscafi:	3 volte [rr. 10, 11, 15]
d. passare con il rosso:	3 volte [rr. 14, 17, 20]
e. guadagnare:	1 volta [r. 16]
f. tassista:	5 volte [rr. 1, 25, 40, 47, 53]
g. taxi:	5 volte [rr. 32, 37, 40, 51, 56]
h. Capri:	4 volte [rr. 10, 11, 27, 39]

2. Sinonimi e contrari

- rassegnato	↔ ribelle	[c]	- infrazione	↔ osservanza	[c]
- fretta	↔ premura	[s]	- sbagliare	↔ azzeccare	[c]
- guadagnare	↔ ricavare	[s]	- guardia	↔ vigile urbano	[s]
- contribuire	↔ concorrere	[s]	- risarcire	↔ rimborsare	[s]
- spendere	↔ risparmiare	[c]	- folla	↔ ressa	[s]
- danno	↔ vantaggio	[c]	- indigeno	↔ straniero	[c]
- tirchio	↔ tirato di mano	[s]			

3. Varietà regionale (il dialetto napoletano)

* *Espressioni del parlato popolare presenti nel testo*:

Ebbè	= *e allora?*
dottò	= *dottore*
ma a me che me ne importava	= *ma che me ne importava*
io non tiro fuori una lira	= *io non pago*
quello è padre di figli	= *lui è un padre di famiglia*
per vedere come si può abbuscare una mille lire	= *per vedere come poteva guadagnarsi un po' di soldi*
prima di affittare	= *prima di trovare un cliente da trasportare*
e pure un poco tirato di mano	= *un po' tirchio (spilorcio)*
a me mi sarebbe veramente dispiaciuto	= *a me sarebbe veramente dispiaciuto*

4. Forme allocutive

* *Ecco le frasi nella forma di cortesia con l'allocutivo "Lei" al posto del "voi"*:

1. Che vuole dire con "abbiamo preso la multa"? - 2. Allora secondo Lei, le sembra normale che chi guida commette l'infrazione e chi sta dietro deve pagare la multa? - 3. E no, dottore, mi perdoni, ma adesso sta sbagliando. 4. Lei come mi ha detto quando è salita alla stazione? - 5. Il responsabile dell'automezzo è solo Lei. - 6. Se l'ho fatto è per farLe un piacere e per farLa arrivare prima agli aliscafi. - 7. Un'altra volta non passava con il rosso. - 8. Scusi, signora guardia, adesso Lei è una persona che lavora, no? Ora secondo Lei, chi deve pagare la multa? - 9. Lo vede che va di fretta? - 10. Faccia Lei!

5. **Avverbi e congiunzioni**

* *Ecco un possibile inserimento degli avverbi e delle congiunzioni suggerite!*

1. Vuoi vedere che invece di guadagnare, quando lavoro, ci debbo **anche** rimettere? - 2. **Veramente** io sono passato con il rosso. - 3. Io lavoro, il signore, **invece**, va a Capri. - 4. Il signore **comunque** deve capire che dopo gli deve dare una mancia adeguata. - 5. Se sapevo che era napoletano non lo facevo **nemmeno** salire. - 6. Per questa volta andate **pure**! - 7. **Adesso** sta venendo la guardia. - 8. Quando è arrivato al porto, l'aliscafo per Capri era **appena** partito. - 9. Sono due ore che aspetto e non si è visto **ancora** un taxi.

* * *

3. DISGUSTOSO EPISODIO D'INCIVILTÀ NEL SALONE DEL GRAND HOTEL DANIELI A VENEZIA

(da *Il meglio di "Alto Gradimento"* di R. ARBORE e G. BONCOMPAGNI)
pagg. 309-316.

B. ANALISI LESSICALE E LINGUISTICA

1. **Campi semantici**

a. 1. ridicolo [h] - 2. satirico [f] - 3. ironico [c] - 4. sarcastico [d] - 5. umoristico [i] - 6. parodistico [g] - 7. grottesco [b] - 8. comico [a] - 9. caricaturale [e]

b. Il tratto semantico comune è la **comicità**

2. **Antonimi**

a. *Ecco alcuni contrari degli aggettivi proposti*:

1. enorme *piccolissimo, minuscolo, minimo*
2. frenetico *calmo, tranquillo, placido, sereno*
3. prezioso *insignificante, economico, spregevole, comune, volgare*

4. speciale — *normale, ordinario, comune, generico*
5. sporco — *pulito, lindo, puro, netto, nitido, onesto, decente*
6. vistoso — *insignificante, misero, meschino, incolore, squallido*
7. volgare — *fine, educato, nobile, eletto, distinto, aristocratico, raffinato*

b. *Ecco alcune frasi esemplificative:*

1. Per il compleanno le aveva regalato un *minuscolo* anello. - 2. Nonostante tutto quel baccano lui se ne stava *calmo* e *tranquillo* a bere la sua birra. - 3. Questo quadro non è originale, è solo una *volgare* imitazione. - 4. Giornate come questa per me sono *normali*. - 5. La signora Maria *tiene* la casa *pulita* come uno specchio. - 6. Il professor Magni è una persona *distinta* e *fine*.

3. Il verbo ESSERE

1. copula - 2. ausiliare /passivo - 3. ausiliare /passivo - 4. ausiliare /passivo - 5. ausiliare /passivo - 6. ausiliare /passivo - 7. intransitivo assoluto - 8. ausiliare /intransitivo - 9. copula - 10. transitivo indiretto - 11. ausiliare /intransitivo - 12. ausiliare /intransitivo - 13. intransitivo assoluto

4. Barzellette

* *Ecco le barzellette complete! In corsivo è indicata la seconda parte e la lettera che nel testo la individua.*

1. Sulla scalinata della chiesa, mentre trasportano la bara verso il carro funebre carico di ghirlande di fiori, la vedova sussurra: *Era da quarant'anni che non uscivamo insieme.* (e)

2. Un vecchio avaro che viaggiava in prima classe con un biglietto di seconda, si rifiuta di pagare il supplemento. Il controllore esasperato dall'atteggiamento ostinato del viaggiatore, pieno di ira afferra la grossa valigia del recalcitrante viaggiatore e la getta fuori dal finestrino. *Disgraziato! - urla in lacrime il viaggiatore - lei ha ammazzato mia moglie!* (d)

3. Terminata la visita, il medico ripone nella valigetta lo stetoscopio e, rivolto al malato, dice: *Per ora, me ne vado. Il suo tempo è prezioso ... quello che le resta almeno.* (b)

4. Durante una tournée in provincia, un attore prega il portiere di notte dell'albergo dove ha preso alloggio, di svegliarlo alle dieci precise del mattino. Alle sei il portiere bussa energicamente alla porta della camera dell'attore.

Scusi, se la sveglio ora, - spiega, - ma è l'ora del cambio e io non ho nessuna fiducia nel ragazzo che mi sostituisce. (f)

5. Nella sala d'aspetto di un ambulatorio medico due signori chiacchierano fra di loro:
   - Incredibile! - dice uno dei due, alzando gli occhi dal giornale che sta leggendo, - Da una statistica risulta che ogni volta che io respiro, muore una persona!"
   E perché allora non prova con un dentifricio alla menta? (g)

6. Le scuole si sono riaperte da qualche giorno ed un bambino rivolto alla madre dice molto deciso che non vuole più andarci.
   Non so leggere, - spiega - non so scrivere, non so contare, e, come se non bastasse, il maestro non vuole che io parli. Sai dirmi, allora a che cosa serve la scuola? (a)

7. Al cinema, dove proiettano un film giallo, l'inserviente si accorge che uno spettatore dopo essere stato accompagnato al posto, gli ha dato solo cento lire di mancia. Allora tornato indietro, si avvicina allo spettatore tirchio e gli mormora: *L'assassino è l'idraulico!* (c)

* * *

4. LA CADUTA DI CAFASSO

(da *Di casa in casa, la vita* di P. CHIARA)
pagg. 317-326.

A. COMPRENSIONE DEL TESTO

2. Sintesi

* *In corsivo sono indicate le parole che completano il testo.*

Il signor Cafasso ha chiuso il negozio ed è partito con tutta la sua famiglia per i soliti *sette (pochi)* giorni di vacanza. Naturalmente alla *guida* della vecchia automobile c'era lui, Cafasso, che, nonostante i suoi sessant'anni, si sentiva il miglior *pilota (autista)* della famiglia. La *meta (destinazione)* era un alberghetto in montagna dove aveva *prenotato* due sole camere. Il figlio, che pure aveva ormai trent'anni, veniva *trattato (considerato)* come un bambino e dormiva con i *genitori*.

I primi giorni furono dedicati alle *gite (escursioni)* a piedi, e verso la fine della *settimana (vacanza)* il signor Cafasso decise che si poteva salire *sulla (in)* montagna in seggiovia. Il costo appariva *esagerato (eccessivo / alto)*, tuttavia per una volta si poteva fare un po' di *spreco*. All'arrivo i familiari si sparpagliarono in *direzioni* diverse.
All'ora fissata per il *ritorno (rientro)* tutti erano presenti: mancava solo il signor Cafasso. La cosa parve *strana (incredibile / assurda)* ed iniziarono immediatamente le ricerche. E si venne così a *sapere* che un tipo somigliante al signor Cafasso era *sceso (stato visto)* alla stazione di partenza della *seggiovia*.
I famigliari, giunti anche loro alla base, *seppero* che il loro congiunto era sceso *giù* per un sentiero che passava lungo i *piloni* della seggiovia, e che in quel momento si trovava al pronto *soccorso* dove gli stavano medicando le molte ferite riportate nella discesa.
Nessuno riusciva a *capire (comprendere)* come un signore tanto *prudente (tranquillo / attento / scrupoloso / pauroso)* avesse rischiato la vita in quel modo.
Il vero motivo si capì quando un *ragazzo (giovane)* venne a chiedere al signor Cafasso se avesse visto durante la discesa una *borraccia*. Il giovane, così diceva, l'aveva *persa (perduta / smarrita)* mentre scendeva per raccogliere il *portafogli* che gli era caduto durante la salita in seggiovia. Anche Cafasso *si era accorto* di quel portafogli e si era precipitato giù per quel *sentiero*, ma era arrivato troppo tardi!

B. ANALISI LESSICALE E LINGUISTICA

1. Derivazione

a.

1. padana	*Po* (fiume)	2. calura	*caldo*	3. terzo	*tre*
4. appollaiato	*pollo*	5. altitudine	*alto*	6. alpinista	*Alpi*
7. serpeggiare	*serpe*	8. incerottare	*cerotto*	9. pennellare	*pennello*
10. avviarsi	*via*				

b.

2. **forma**: → *formare - formazione - formale - formaggio....*
3. **giorno**: → *giornale - giornaliero - giornata ....*
4. **sommo**: → *sommità - somma - sommario...*
5. **fila**: → *filare - filastrocca - filone...*
6. **mano**: → *manuale, maniglia - manico - manesco - manciata manovra...*

2. Riformulazioni

* *Ecco delle possibili riformulazioni delle espressioni evidenziate nel testo di base*:

1. All'ora *fissata, la macchina* era ferma davanti all'alberghetto. - 2. Tutte *le destinazioni raggiungibili in due ore (distanti due ore di cammino)*, furono raggiunte durante i primi giorni. - 3. Il figlio, *pur avanti negli anni, (anche se ormai adulto) accettava di* essere considerato un bambino. - 4. Un signore *somigliante allo scomparso era giunto ai piedi del monte*. - 5. Nessuno riusciva a capire perché *avesse rischiato in* una simile discesa. - 6. Nonostante *la grossa spesa* il signor Cafasso decise *per il giorno dopo (successivo).*

3. Il participio passato

a.1. *Ecco alcuni dei participi usati nel testo:*

caduta (titolo) funzione nominale - *circondato* (r. 9) funzione verbale - *stabilita* (r.12) funzione aggettivale - *voltate* (r. 20) f. aggett. - *comprese* (r.21) f. verb. - *appollaiato* (r. 34) f. aggett. - *fatto (r.35)* funzione nominale - *disperata* (r. 43) f. aggett. - *convinta* (r.43) f. aggett. - *sconcertati* (r.48) f. aggett. - *congiunto* (r.49) f. nomin. - *giunto (r. 51)* f. verb. - *lussato* (r. 55) f. aggett. - *interpellato* (r. 59) f. nom. - *uscito* (r.77) f. verb. - *caduto* (r.78) f. verb. - *arrivato* (r.79) f. verb.

a.2. **commosso** *(commuovere)* - **discusso** (*discutere*) - **espresso** (*esprimere*) - **scosso** (*scuotere*) - **successo** (*succedere*) - **accluso** (*accludere)* - **teso** (*tendere)* - **parso** (*parere)* - **scomparso** (*scomparire)* - **rimasto** (*rimanere)* - **accolto** (*accogliere)* - **sconvolto** (*sconvolgere)* - **estinto** (*estinguere)* - **unto** (ungere) - **presunto** (*presumere*) - **scoperto** (*scoprire*) - **porto** (*porgere)* - **storto** (*storcere*) - **composto** (*comporre*) - **redatto** (*redigere)* - **ritratto** (*ritrarre*) - **costretto** (*costringere*) - **fritto** (*friggere*) - **corrotto** (*corrompere*) - **sedotto** (*sedurre*) - **distrutto** (*distruggere).*

a.3. Trasformazioni

1. *Dopo che fu portato* all'albergo fu disteso su un letto.- 2. *Dopo che era finito* il concerto, Patrizia e Mauro sono tornati a casa insieme. - 3. *Dopo che ebbero ispezionato* tutta la zona, le guardie forestali scesero a valle. - 4. Tutte le mete *che erano comprese* nel giro di un paio d'ore furono raggiunte durante i primi giorni. - 5. *Anche se erano partiti* la mattina di buon'ora, arrivarono a destinazione solo a notte fonda. - 6. *Appena si fu accorta* che la gonna che aveva comprato le stava stretta,

Angela è ritornata nel negozio per cambiarla. - 7. Non vi dico come me la godetti quando, *dopo che era partita* costei, si venne a sapere che non era una delle cameriere *che ci erano state mandate* dall'agenzia ma la moglie del mio capufficio, *che era stata invitata* da Teresa. - 8. Mi disse che, una volta *che sarebbe finita* la guerra, ci sarebbe stato bisogno di giovani corrispondenti capaci.

a.4. 1. Luisa, *pur partita mezz'ora prima,* è arrivata a casa di Daniela un'ora dopo di noi. - 2. *Trascorsi tre giorni dalla sua scomparsa*, sono iniziate le ricerche da parte dei carabinieri. - 3. *Appena bevuto un bicchiere d'acqua fredda*, sentì dei forti dolori allo stomaco. - 4. *Finito di parlare al telefono*, la segretaria mi ha richiamato presso il tavolo con un cenno sottile della mano. - 5. Certamente lui era uno di quei vecchi artigiani, *divenuti maestri nella loro arte*. - 6. *Avendo finito i soldi,* ha abbandonato il tavolo da gioco. - 7. *Pur incluso in fondo alla lista dei candidati*, ha vinto le elezioni. - 8. *Esaminati tutti gli aspetti*, scoprirete che avevo ragione io. - 9. Hai letto l'ultimo romanzo *scritto da De Carlo*? - 10. La frutta *comprata* ieri, è già andata a male.

4. Parole e immagini

* *Ecco i corretti abbinamenti tra disegni e testi:*

a. 1 - b. 2 - c. 6 - d. 3 - e. 7 - f. 4 - g. 5

* * *

5. L'ARRINGA DELL'AVVOCATO TANUCCI

(da *Storia della filosofia greca. I presocratici* di L. De Crescenzo) pagg. 328-335.

B. ANALISI LESSICALE E LINGUISTICA

1. Lessico giuridico

termini giuridici

accusa di truffa e di falsificazione di marchio d'impresa - primo capo d'accusa - il fatto non costituisce reato - elevare contravvenzione a carico di - un sopralluogo eseguito da agenti.. - in un terraneo sito al numero... - chi con artifici e raggiri... - chiunque sottopone una persona... - è punibile con la reclusione ... - accusare di plagio

espressioni popolari

'a Rinascente - voleva arraffare - la fregola della firma - la fessaggine umana - vuoi vedere quanti fessi trovo che se le comprano? - rubacchiare - E' qui che ti aspetto mio caro... - la grande abbuffata.

2. Riformulazioni

- falsificazione di marchio d'impresa	*copia del marchio (o logo) di una società*
- elevare contravvenzione a carico di	*fare una multa a...*
- un sopralluogo eseguito da agenti..	*un controllo fatto da poliziotti...*
- in un terraneo sito al numero...	*in un piano terra al numero ....*
- indurre taluno in errore...	*imbrogliare (o ingannare) qualcuno*
- colto in flagrante	*preso sul fatto*
- punibile con la reclusione	*può essere messo in prigione*

3. Parafrasi esplicative

1. *contraffazione* - 2. *un sopralluogo* - 3. *apprezzare* - 4. *di assemblaggio* - 5. *plagio* - 6. *presumere* - 7. *antistante* - 8. *licenza*

4. Le interrogative retoriche

a. - (r. 34) Ha commesso una truffa Alessandro Esposito?
- (r.40-41) e chi potrebbe essere questa persona offesa? Il cliente di passaggio?
- (r.73-74) A questo punto mi chiedo: esiste una legge che pone dei limiti ai profitti di un privato?
- (r.46-48) E poi, alla fin fine, quale sarebbe questo ingiusto profitto? quelle nove o diecimila lire a borsa che l'Esposito portava a casa agli operai familiari in attesa?

b. 1. Si può forse dire che questo vestito non mi stia bene? - 2. Chi, se non un pazzo può aver fatto un'affermazione del genere? - 3. Posso forse essere d'accordo con te su questa proposta? - 4. Perché non ti servi? - 5. Qualcuno dei testimoni l'ha forse visto entrare in quella casa?

6. L'UOMO DALLA FACCIA DI LADRO

(da *Manuale di conversazione* di A. CAMPANILE)
pagg. 336-341.

A. COMPRENSIONE DEL TESTO

2. Coreferenza

* *Ecco in quali modi il narratore indica il suo compagno di viaggio*:

viaggiatore - una specie di straccione - costui - il mio compagno di viaggio - il sinistro individuo - losco figuro - lo sconosciuto - l'altro - il brutto ceffo - l'enigmatico personaggio - il mio compagno di scompartimento - il figuro - quest'uomo dalla faccia di ladro - questo ladro - sinistro figuro - povero ladro mancato - povero straccione.

B. ANALISI LINGUISTICA

1. Derivazione: il suffisso "-evole"

considerevole - durevole - favorevole - gradevole - incantevole - lodevole - mutevole -scorrevole

Esempi di possibili frasi:

1. Un numero *considerevole* di persone era presente ai funerali del presidente della Sampdoria.
2. Nei momenti di crisi economica si preferisce investire di più su beni *durevoli*.
3. Carlo si è dichiarato *favorevole* alla proposta di rinvio dell'assemblea del condominio.
4. Questo piatto ha anche un aspetto *gradevole*.
5. Il paese è arroccato su un colle che si affaccia su una valle *incantevole*.
6. Lucia ha tenuto un comportamento *lodevole* in quella situazione difficile.
7. Oggi il direttore è di umore *mutevole*: ora è allegro e gioviale ora è duro e intrattabile.
8. Complimenti, Gianna! la tua composizione è scritta in modo chiaro e *scorrevole*.

2. Parole solidali

- sinistro:	può dirsi di:	*aspetto - guancia - individuo - luce - mano sguardo - piede - tasca.*
- destro:	" "	: *guancia - mano - piede - tasca*
- chiaro:	" "	: *aspetto - luce - sguardo - sogno*
- scuro:	" "	: *aspetto - luce - sguardo*
- losco:	" "	: *aspetto - individuo - sguardo*
- spaventoso:	" "	: *aspetto - individuo - mano - sguardo - piede sogno*
- spiacevole:	" "	: *aspetto - individuo - sguardo - sogno*
- colorito:	" "	: *aspetto - guancia - mano - sguardo.*

3. Contestualizzazioni semantiche

1. lo hanno derubato - 2. furti - 3. hanno rubato - 4. carpire - 5. ha sottratto - 6. ha rapito - 7. hanno rapinato - 8. sono defraudati - 9. ha sgraffignato.

4. Ausiliari con i verbi modali

a. Lo sconosciuto con rammarico affermò che lui *doveva (avrebbe dovuto)* essere un ladro e *avrebbe voluto (voleva)* anche esserlo: la sua natura e la sua educazione lo spingevano su questa strada. Ma qualcosa glielo impediva. Non è che lui non *sapesse (sapeva)* rubare, anzi non *sapeva* fare altro, ma con quella faccia non *poteva* certo fare il ladro. Infatti, quando al suo compagno di viaggio chiese cosa vedeva nella sua faccia, quest'ultimo *voleva (avrebbe voluto)* rispondere che quella era una gran faccia da mascalzone. Insomma, non *poteva* rubare perché tutti *avrebbero potuto (potevano)* riconoscerlo subito.

b. 1. *Abbiamo dovuto* fare in fretta per non perdere la coincidenza con il treno diretto a Lucca. - 2. Non *ho potuto* essere d'accordo con lui. - 3. *Sono dovuti* rientrare in caserma prima delle undici. - 4. *Hanno voluto* ritardare la partenza per essere presenti alla cerimonia d'inaugurazione della nuova filiale della banca. - 5. Il signor Cafasso *è voluto* scendere a piedi per un sentiero pericoloso. - 6. *Abbiamo preferito* restare in piedi.

* * *

7. IL PERNACCHIO

(da *L'oro di Napoli* di G. MAROTTA)
pagg. 342-348

B. ANALISI LINGUISTICA E STILISTICA

1. Modi di dire

- **seguire a ruota**	→ *venire subito dopo*
- **mettere un bastone fra le ruote**	→ *ostacolare qualcuno, rendergli difficile un compito*
- **parlare a ruota libera**	→ *parlare liberamente, senza freni o remore, di qualcuno o qualcosa*
- **ungere le ruote**	→ *corrompere qualcuno perché agevoli una nostra iniziativa o attività*
- **essere l'ultima ruota del carro**	→ *non contare, non avere alcuna importanza*

2. Figure retoriche: gradazione, anafora, antitesi

Anafora: In questa parte del testo l'anafora è costituita dalla ripetizione all'inizio dei vari segmenti descrittivi delle parole: *aveva lo sberleffo...*, che sembrano quasi scandire il tempo della descrizione attraverso la proposizione di una sequenza fissa di suoni. Ecco in dettaglio le anafore:

r. 52: aveva lo sberleffo totale...
r. 53: aveva altresì lo sberleffo sottile...
r. 56: aveva lo sberleffo affermativo...
r. 57: aveva lo sberleffo eseguito...
r. 59: aveva lo sberleffo che dichiara...
r. 60: aveva lo sberleffo che enunzia...
r. 62: aveva lo sberleffo come...

Antitesi: Le antitesi che si incontrano nella parte di testo in esame sono:
rr.52-54: *totale* >< *sottile e variegato* - *di petto* >< *di testa*
r. 56: *affermativo* >< *negativo*; r. 57: *tragico* >< *comico*
r. 59-60: *che dichiara* >< *che allude*; r. 60-61: *che enunzia per sommi capi* >< *che minuziosamente racconta*; r. 61-62: *sostantivanti* >< *aggettivanti*.

Gradazione:
Esempi di gradazione ascendente:

lo sberleffo totale, di petto, squassante, che lacerava l'aria avventandosi sulla terra e sul mare (r.52-53); *- più interiore e lirico, remoto e denso... (r.58)*

esempio di gradazione discendente:

lo sberleffo sottile e variegato, di testa, lo sberleffo a proposito del quale si potrebbe scrivere... (r.53-54)

3. **Il participio presente**

a. 1. *fabbricante* (sostantivo) - 2. *mancanti* (verbo) - 3. *convincenti* (aggettivo) - 4. *affluente* (sostantivo) - 5. *proveniente* (verbo) - 6. *tendente* (verbo) - 7. *contanti* (sostantivo) - 8. *esordienti* (sostantivo) - 9. *seducente* (aggettivo) - 10. *mandante* (sostantivo)

b. 1. *che raffigura* - 2. *che sgorgava* - 3. *che derivano (o deriveranno)* - 4. *che recava* - 5. *che provengono (o provenivano)*

c. *Parole da cancellare:*
sapiente - fante - costante - lattante - patente - prudente - sfollagente - evidente - parente - bracciante

C. PRODUZIONE ORALE O SCRITTA

2. *Ecco il significato che hanno in Italia i gesti descritti nel manuale di base:*

- **strizzare l'occhio a qualcuno/a** : cenno di intesa che esprime complicità, apprezzamento o invito; ammiccare.
- **battere le mani ad un concerto**: esprimere apprezzamento e soddisfazione per lo spettacolo.
- **fischiare durante uno spettacolo o manifestazione**: esprimere la propria disapprovazione o dissenso.
- **alzare ripetutamente le spalle**: (=fare le spallucce) significa esprimere disinteresse e menefreghismo.
- **passare il dorso della mano sotto il mento**: vuol dire manifestare apertamente il proprio totale disinteresse e distacco verso qualcosa o qualcuno.
- **dare un colpo con la mano aperta sulle spalle di qualcuno**: manifestare la propria amicizia e simpatia ad una persona molto amica, oppure complimentarsi con qualcuno o incoraggiarlo.

- **togliersi il cappello davanti a qualcuno**: salutare o esprimere rispetto e deferenza con garbo e cortesia.
- **gonfiare le guance**: esprimere inpazienza e insofferenza per qualcosa o nei confronti di qualcuno.
- **arricciare il naso**: manifestare disaccordo, dissenso o disgusto.
- **alzare gli occhi al cielo**: esprimere disillusione e sfiducia, per indicare che non c'è più niente da fare.
- **incrociare le dita di una mano**: augurare a se stessi buona fortuna.
- **portarsi l'indice della mano davanti alla bocca**: invitare qualcuno a fare silenzio, a tacere.

Sezione VII FATTI DI IERI E DI OGGI

1. SIGNORI, UNA COLLETTA PER LA BENZINA

(dal "Corriere della sera" del 12 sett. 1988)
pagg. 352-356

A. COMPRENSIONE DEL TESTO

1. Informazioni specifiche

* *Ecco delle possibili domande*!

1. Quale nuovo rischio si può correre volando in aereo?
2. Che cosa è bene portarsi con sé in tasca quando si vola?
3. Che cosa ha chiesto il comandante dell'aereo ai passeggeri?
4. Perché il personale dell'aeroporto di Puerto Santo ha rifiutato il rifornimento a quell'aereo?
5. Che cosa hanno pensato i passeggeri all'insolita richiesta del comandante?
6. Quanto è stato il ricavato della colletta?

2. Sintesi

a. *Ecco esempi di possibili sottotitoli per l'articolo*:

1. Nuovo rischio per chi vola. - 2. Utilità degli spiccioli. - 3. La curiosa richiesta di un comandante d'aereo. - 4. Incredibile ma vero. - 5. Una colletta al volo. - 6. O paghi o scendi.

B. ANALISI LESSICALE E LINGUISTICA

1. Campi semantici

- aereo : *corridoi aerei - compagnie - aeroporto - dirottamenti - comandante - charter - far scalo - equipaggio - pilota - Boeing - decollare - passeggeri - altoparlanti di bordo*
- denaro: *carte di credito - solvibilità - spicciolo - prestarci - denaro contante - colletta - far credito - vuotare le tasche - ricavato - lire - biglietti da cinque e dieci sterline - rimborsati*
- benzina: *fare il pieno - carburante - rifornimento - distributore - serbatoi*

2. Modi di dire con i colori

* *Ecco degli esempi!*

1. Sarà perché ero preoccupato o perché ieri sera ho preso un caffè, ma non sono riuscito a dormire; insomma **ho passato la notte in bianco**.
2. Ai signori Lancetti è nata una bambina: hanno messo **un fiocco rosa** sulla porta del loro appartamento.
3. Possiamo spendere qualsiasi cifra riteniamo opportuna: il direttore ci **ha dato carta bianca**.
4. E' una ragazza molto romantica: sogna ad occhi aperti il suo **principe azzurro** .
5. Mentre i suoi fratelli si sono fatti una posizione e sono stimati da tutti, lui è un vagabondo, passa le sue giornate al bar: è proprio la **pecora nera** della famiglia.
6. Luigi, da quando è stato lasciato dalla sua ragazza, è triste e sfiduciato: **vede tutto nero**.
7. Luisa ha un marito che ha molta fiducia in lei; quando ha bisogno di soldi le fa un **assegno in bianco**.
8. Negli ultimi tempi soprattutto con la diffusione delle videocassette le sale dove si proiettano **film a luci rosse** sono quasi deserte.

3. Riformulazioni

* *Anche qui, quelle suggerite sono alcune delle forme possibili.*

1. Ma *ai soliti rischi* possiamo ora aggiungere un *insolito (inconsueto, nuovo)* "rischio soldi".
2. Ricordatevi sempre di non *lasciare solo* alle carte di credito la vostra solvibilità.

3. *Un po' di monete* in tasca *risulterebbero comode* per affrontare *bene* situazioni difficili.
4. Come *da giovani nelle escursioni* in utilitaria, la vecchia cara colletta *è risultata la sola (l'unica) soluzione possibile.*
5. Bisognava *tirar fuori i soldi* altrimenti rischiavamo di non tornare a casa.

4. **Frase nominale**

a. 1. "Signori, *dobbiamo fare* una colletta per la benzina! *contribuite!*"
2. "*Vorrei darvi un* consiglio: ..."
3. "*Se non tirate fuori i soldi non avrete la benzina e dunque non potrete* fare ritorno in Inghilterra"
4. "A quel punto *è arrivata* l'inconsueta richiesta".
5. "*Il* ricavato della colletta *è stato di* 1200 sterline, più di due milioni e mezzo di lire".

b. 1. Da domani resteranno fermi i treni, venerdì, invece, i voli saranno regolari. - 2. In due, con le armi spianate, hanno portato via mezzo miliardo. - 3. Il nord è avvolto nella nebbia e le autostrade sono paralizzate. - 4. Sono state interrotte le trattative sindacali: si prevedono scioperi. - 5. L'Italia è in rosso: si è raggiunto il record del deficit con l'estero. - 6. (Molti) sono scesi in piazza contro la politica delle armi. - 7. Dobbiamo dire addio alla discoteca, andremo tutti a letto alle due. - 8. Fa un caldo insopportabile: le città sono stremate e senza acqua. - 9. A Milano ci sarà un week-end senza automobili. - 10. E' stato raggiunto l'accordo tra i ministri dell'Ambiente e dell'Istruzione: si insegnerà ecologia in tutte le scuole italiane.

* * *

2. L'UOVO AL CIANURO

(da *L'uovo al cianuro e altre storie* di P. CHIARA)
pagg. 358- 364.

A. COMPRENSIONE DEL TESTO

1. **Informazioni specifiche**

1. La storia viene raccontata dallo stesso signor Pareille ad un ragazzo che lo aiuta nel suo lavoro.
2. I protagonisti della storia sono il signor Pareille e suo cognato.

3. Viveva a Torino ed era pittore dilettante.
4. Ora lavora come fotografo.
5. Perché è stato accusato e condannato dell'omicidio di suo cognato.
6. Ha trascorso 18 anni in prigione.
7. Pareille ha circa 58 anni. Ne aveva, infatti, quaranta quando è stato condannato a diciotto anni di carcere.

B. ANALISI LINGUISTICA

1. Polisemia

1. e. - 2. f. - 3. g. - 4. a. - 5. l. - 6. b. - 7. i. - 8. d. - 9. h. - 10. c.

2. Modi di dire

– Il patrimonio cadde presto in sue mani. = *Il patrimonio passò presto a lui.*
– Dilapidare un'eredità. = *Spendere in breve tempo l'intera eredità.*
– Dare fondo al patrimonio personale. = *Spendere tutti i propri beni.*
– Versare in gravi ristrettezze economiche. = *Vivere poveramente.*
– Negare ogni addebito. = *Dichiararsi innocente.*

3. Gerundio

1. Questo mestiere l'ho imparato *quando andavo* a curiosare nel laboratorio d'un povero fotografo. - 2. *Con la combinazione* di queste mie capacità mi sono improvvisato fotografo. - 3. Esclamai *mentre tornavo* a sedere. - 4. Il fratello rimase unico erede, *dato che era venuto* a morte un anno dopo anche il vecchio padre. - 5. Il testamento privilegiava mia moglie, ma *poiché era premorta* al genitore, la successione cadeva sul figlio superstite. - 6. Da tempo, *siccome fidavo* nell'eredità di mia moglie, avevo dato fondo al mio patrimonio personale. - 7. Un cameriere preparava la tavola *e andava e veniva* dalla cucina. - 8. *Prevenne ogni mia richiesta e* disse che era finita tra noi ogni parentela. - 9. *Mentre traversavo* il parco sbagliai strada.

4. La frase interrogativa indiretta

1. Ti chiederai come abbiano potuto incolpare me. - 2. Mi chiesi a chi apparteneva (o appartenesse) quella mano sbucata dalla tenda. - 3. Mi decisi un pomeriggio a domandargli dove fosse (o era) vissuto prima di venire qui. - 4. Don Pasquale non capiva che bisogno ci fosse (o c'era) di ricorrere alla

parola quando si poteva dire tutto con impercettibili movimenti del capo. - 5. Mi chiedevo, osservandolo, come si potesse (o poteva) rubare con una faccia simile. - 6. A questo punto mi chiedo se esiste (esista) una legge che pone dei limiti ai profitti di un privato. - 7. All'ora di cena si è presentato un giovane che ha chiesto se il signor Cafasso aveva (o avesse) trovato, nella discesa, una borraccia. - 8. Ogni volta che capitavo in amministrazione mi chiedevano chi io fossi, perché ero andato lì e a che titolo mi spettavano (o spettassero) i soldi. - 9. In quella situazione mi chiedevo come sarei uscito (o uscire) da quella trappola infernale.

* * *

3. LA LETTERA MINATORIA

(da *A ciascuno il suo* di L. SCIASCIA)
pagg. 365- 370.

A. COMPRENSIONE DEL TESTO

1. Informazioni specifiche

* *Ecco delle possibili risposte alle domande sul testo di Sciascia!*

1. Dal colore della busta (gialla) e dal fatto che l'indirizzo era stampato su un rettangolino incollato sulla busta e ritagliato da un foglio intestato della farmacia.
2. Inizialmente la accoglie con un certo scetticismo, poi è invaso da un crescente timore che gli procura una forte angoscia interiore.
3. Il postino conta sul fatto che il farmacista, in caso di minaccia gli farà leggere la lettera, mentre non dirà nulla se si tratta di "corna".
4. Si tranquillizza perché scopre che il "suo onore" è salvo: la lettera contiene solo una minaccia di morte!
5. Il postino cerca di convincere il farmacista che quella lettera è uno scherzo, uno scherzo di cattivo gusto.

2. Analisi degli elementi semantici

– E' cosa di corna. = *E' una faccenda che riguarda un tradimento coniugale.*
– Fare il comodo proprio. = *Fare ciò che si vuole o piace.*
– Bere di un sorso l'amaro calice. = *Mandare giù in fretta qualcosa che non piace. / Fare senza esitare una cosa sgradevole.*

– Gli prudono le corna. = *Non sanno pensare alle cose proprie. / Si impicciano degli affari altrui.*
– Essere una persona di cuore. = *Essere generoso e buono con gli altri.*

B. ANALISI LINGUISTICA E LESSICALE

1. Derivazione

a.

	sostantivo	**verbo**
- seccato	seccatura	seccare
- incuriosito	curiosità	curiosare
- imbarazzato	imbarazzo	imbarazzare
- inquieto	inquietudine	inquietare
- stupito	stupore	stupire
- indignato	indignazione	indignare
- atterrito	terrore	atterrire
- sollevato	sollievo	sollevare
- divertito	divertimento	divertire

b. - postino ← *posta* - farmacista ← *farmacia* - occhiali ← *occhio* - incenerire ← *cenere* - sfiorita ← *fiore* - anonimo ← *nome* - curiosità ← *curioso* - celeste ← *cielo*

2. Polisemia

1. Quando *interviene lui...*
2. Ha affrontato la curva *viaggiando sulla corsia opposta (nel senso di marcia contrario)*
3. l'ho presa *usata.*
4. Il vocabolario è lì, ce l'hai *vicinissimo a te*
5. *...ha chiesto di sposare* Laura ...
6. .... *è una spendacciona (spende i soldi con grande facilità).*
7. ...ma *non posso (non ho libertà d'azione).*
8. .. *stare senza far niente.*

3. **Posizione dell'aggettivo**

* *Gli aggettivi inseriti sono scritti in corsivo*

1. Un signore *quarantenne* introdusse una *grossa* busta *gialla* nella cassetta delle lettere. - 2. Il *nuovo* numero *telefonico* di Patrizia lo trovi nella rubrica che devo aver lasciato su quella *vecchia* poltrona. - 3. Secondo un'*antica* ricetta *siciliana* per questo dolce ci vogliono le mandorle *amare*. - 4. Entrò dalla porta *principale* un *bel* signore *alto* con indosso un *lungo* cappotto *marrone* che contrastava con il suo volto *pallido*. - 5. Qualcuno aveva incollato sul foglio *bianco* delle parole ritagliate da un *vecchio* giornale *sportivo*. - 6. Il pubblico seguiva *attento e interessato* col fiato sospeso le vicende *emozionanti* rappresentate sulla scena. -

4. **Aggettivazione**

* *Quelle suggerite sono soltanto alcune delle possibili parole che possono completare le frasi proposte nell'esercizio.*

1. Quando toccò a lui, cominciò a parlare con voce chiara e *decisa (ferma...)*
2. Soffiava un vento impetuoso e *gelido (freddo / violento...)*
3. Quando se lo vide davanti provò imbarazzo e *incredulità (vergogna...)*
4. Questo vino mi piace perché è frizzante e *abboccato (dolce / gradevole / secco...)*
5. Lo guardava sorridendo in modo ironico e *beffardo (sarcastico / canzonatorio...)*
6. Mi trovo bene in campagna perché c'è pace e *tranquillità(serenità / silenzio...)*
7. Ieri sera Luisa indossava un vestito elegante e *sobrio (semplice / appariscente / vistoso...)*
8. Sara, preoccupata e *ansiosa (sconvolta...)*, aspettava notizie di suo padre.

5. **Ritorno al testo**

* *In corsivo sono le parole inserite. Ovviamente per alcune lacune sono possibili anche altre parole diverse da quelle qui suggerite.*

Un pomeriggio il postino *portò (recò /consegnò)* al farmacista insieme alle stampe *pubblicitarie (anche)* una lettera particolare dalla busta *gialla* e con l'indirizzo ritagliato da un foglio *intestato* della farmacia. Doveva essere stata *imbucata (spedita)* la notte o nel primo *mattino*. Si trattava di una lettera anonima, non c'erano *dubbi*. Il postino, dopo averla *posata (messa)* sul banco, aspettò che il farmacista l'*aprisse*, curioso di sapere se si trattava di *corna (tradimento coniugale)* o di minaccia. Dopo molte *esitazioni (incertezze)*, con il terrore nell'animo, il farmacista *si decise* ad aprire la lettera; e si sentì quasi *sollevato (contento)* e divertito nel *vedere (constatare / notare)* che era solo una minaccia. *Diede (consegnò / passò)* poi la lettera al postino che *avidamente (immediatamente / subito)* la lesse e commentò che *si trattava* di uno scherzo. Ma il farmacista non era dello stesso *avviso (parere)*: se scherzi erano state le molte *telefonate* notturne ricevute negli ultimi *tempi (giorni)*, questa lettera non era uno *scherzo*, ma una terribile *minaccia*. E una nuova *ansia (paura / angoscia)* invase il suo animo.

* * *

4. CASINÒ

(da *L'attore* di M. SOLDATI)
pagg. 372- 378

A. COMPRENSIONE DEL TESTO

1. Informazioni specifiche

* *Ecco delle possibili risposte alle domande sul testo di Soldati!*

1. Il Casinò è simbolo della vita e allo stesso tempo è tutto ciò che la vita non può essere. Come nella vita il giocatore prova sentimenti diversi e contraddittori, ma anche, in contrasto con la vita quotidiana, entra in un mondo completamente diverso dove talora il sogno diventa realtà.
2. Chi entra in un casinò prova speranza, desiderio, gioia, paura, delusione e attesa.
3. Quello di puntare sul 17.
4. "Coprirsi" significa puntare su più numeri vicini o sul tavolo o sulla roulette in modo da aumentare le probabilità di vincita e così recuperare anche i soldi puntati sui numeri che non sono usciti.
5. Deve puntare sempre sullo stesso numero o sulla stessa combinazione di numeri; deve fare come il cacciatore che aspetta la preda al varco: il numero atteso prima o poi esce.
6. In Francia: lo si capisce dalle monete che i giocatori cambiano alla cassa: i franchi, detti anche Pascal perché sul biglietto da mille franchi è raffigurato il celebre scienziato francese Blaise Pascal.

2. **Analisi del testo**

a. 1° paragrafo: *Entrare in un Casinò vuol dire uscire dalla vita.*
2° paragrafo: *Il Casinò racchiude e concentra in sé tutti gli episodi della vita.*
3° paragrafo: *Tutte e due le interpretazioni sono valide.*
4° paragrafo: *Mille o duemila franchi erano certo una partenza modesta, ma non disprezzabile.*
5° paragrafo: *i passi sulla distesa della moquette.*
6° paragrafo: *La pallina si fermava sul 17. Non era un buon auspicio. Oppure, lo era?*
7° paragrafo: *Andavo lungo i tavoli*
8° paragrafo: *era forse venuto il mio momento di cominciare? Esitai ancora.*
9° paragrafo: *Il giocatore logico deve puntare sempre lo stesso numero.*

b. *Il protagonista narrante mentre cambia i soldi in gettoni si sente come trascinato dall'atmosfera della sala. (r. 25-31). Poi mentre gira lungo i tavoli la sua curiosità è attratta dalle fisionomie dei giocatori.*
Il fatalismo si coglie nelle due occasioni propizie perse per un soffio: proprio nel momento in cui pensa di puntare sul 17, il "rien ne va plus" del croupier lo blocca ed il numero pensato esce effettivamente subito dopo. Il momento buono è sempre quello che uno si lascia sfuggire. (r. 36-52, 57-61)

c. *croupier, pallina, noir, impair, manque, Rien ne va plus, prendere un pieno, coprire un numero, puntata, casella*

d. **anafore**: (r. 4-6) *non sono più... non sono più...*
(r.66-67) *dato che... dato che... e dato che...*

parallelismo: *(r.1) /entrare in casinò/ significa uscire dalla vita/*
(r.11-12) */spogliandoli delle loro apparenze/*
/riducendoli alla loro nuda sostanza/
/riproponendoli allo stato puro/
(r.13-14) */il desiderio, la speranza, la gioia della vittoria/ /la paura, la delusione, il dolore della sconfitta/*

gradazione: (r.3) *il potere, il piacere, la libertà...*
(r.13-16) *il desiderio, la speranza, la gioia /*
la paura, la delusione, il dolore / fedeltà ad una sola idea, pazienza delle attese

B. ANALISI LINGUISTICA

1. La metafora

a. *Ecco il senso delle metafore*:

- "soglia magica" (r. 2) - *ingresso in un mondo* di *sogno e magia come può essere quello di un casinò.*
- "le raganelle delle palline" (r.30) - *le palline girando producono un rumore simile al verso delle raganelle*
- "la moquette, lago purpureo..." (r.33) - *la distesa della moquette dà l'impressione di un vasto lago color porpora (rosso)*
- "i miei gettoni di breve vita" (r.42) - *i gettoni sarebbero durati poco, presto li avrebbe perduti al gioco*
- "i volti di quelli che puntavano dall'altra riva" (r.54) - *le facce di quelli che stanno sull'altro lato del tavolo da gioco*

b. 1. [*M*] - 2. [*P*] - 3. [*P*] - 4. [*M*] - 5. [*M*] - 6. [*M*] -7. [*M*] -8. [*P*] - 9. [*P*] -10. [*P*] - 11. [*M*] - 12. [*M*]

2. Modi di dire

- fare il gioco di qualcuno = *assecondare più o meno consapevolmente i progetti o le intenzioni di qualcuno*
- fare buon viso a cattivo gioco = *accettare, sia pure a malincuore, qualcosa di spiacevole o sgradevole*
- fare il doppio gioco = *mostrarsi legato a qualcuno e nello stesso tempo legarsi o trattare con il suo avversario*
- avere buon gioco = *avere buone possibilità di riuscita o di vittoria*
- prendersi gioco di qualcuno = *beffarsi di qualcuno, prendere in giro*
- stare al gioco = *assecondare qualcuno, accettare con spirito lo scherzo*

3. La frase concessiva

1. Continuiamo a credere caparbi nella fortuna, *sebbene non passi giorno* senza che noi dubitiamo della fortuna. -2. *Sebbene fosse innocente*, tutte le prove sembravano indicare lui come colpevole. - 3. *Sebbene avessi un terribile mal di testa*, rimasi ad ascoltarlo finché non smise di parlare. - 4. *Benché l'avessi invitata con molto calore a fermarsi a pranzo con noi*, Patrizia non ha voluto sentire ragioni. - 5. E' ancora dinamico e pieno di vitalità *sebbene abbia superato i settant'anni.*

5. I PENSIERI DI UN ASSASSINO

(da *La vedova allegra* di G. PIOVENE)
pagg. 379-384

B. ANALISI LINGUISTICA

1. Campi semantici

* *Ecco le parole da cancellare*:

1. **insetticida** - 2. **altipiano** - 3. **vittima** - 4. **contrario** -5. **pedata** - 6. **svista** - 7. **sciame** - 8. **angustia**.

2. Derivazione

1. imprigionare da: *prigione* - 2. inaridire da: *arido* - 3. incoraggiare da: *coraggio* - 4. impazzire da: *pazzo* - 5. insabbiare da: *sabbia* - 6. intristire da: *triste* - 7. incassare da: *cassa* - 8. intascare da: *tasca* - 9. impoverire da: *povero* - 10. impietosire da: *pietoso* - 11. innamorare da: *amore* - 12. infangare da: *fango*

3. Parole solidali

a.
1. Lo ha morso *un cane (o una vipera)* .
2. Il padre gli ha appioppato *uno schiaffo (o un ceffone)* .
3. Socchiudi un po' *la finestra (o questo occhio, la porta)* !
4. Su quel cavallo ha scommesso *una fortuna (una grossa somma o svariati milioni).*
5. *Il treno* è deragliato a causa di una frana.
6. Per l'occasione il Tesoro ha coniato *una moneta (o una medaglia commemorativa).*
7. Il generale ha impartito *l'ordine (o il comando)* a tutta la caserma.
8. Ho sentito *un asino* ragliare.
9. Quel film ha riscosso un grande *successo* di critica e di pubblico.

b.
1. Bisogna *prendere (o assumere)* provvedimenti urgenti contro l'inquinamento atmosferico della nostra città.
2. Il dottor Bruni *ha rassegnato (o ha dato)* le dimissioni da direttore artistico.

3. Nessuno studente è riuscito a *risolvere* il problema.
4. Puoi darmi una mano a *sciogliere* i nodi che sono in questa corda?
5. Il Ministero degli Esteri *ha indetto (ha bandito)* un concorso per addetto culturale presso le ambasciate.
6. Il povero ragazzo *ha subito* un grave intervento al cuore.
7. Mi *hai tolto* le parole di bocca.
8. Il Presidente della Repubblica *ha reso* omaggio alla tomba del Milite ignoto.
9. Per riparare la macchina da solo Carlo *ha sudato* sette camicie.

c. 1. d. - 2. f. - 3. e. - 4. b. - 5. a. - 6. g. - 7. c.

C. RITORNO AL TESTO

* *In corsivo le parole inserite.*

Un contadino, avendo scoperto che sua moglie lo *tradiva*, decise di *vendicarsi*. Una domenica mattina invitò *il suo rivale* ad andare *a spasso (a passeggio)* con lui su in collina, in mezzo alla *brughiera*. Partirono insieme, in silenzio: il contadino camminava *dietro* la sua vittima, quasi a cancellarne le *orme (impronte)*. Era un tipo risoluto: una volta presa *una decisione*, niente e nessuno *gli* avrebbe fatto *cambiare* idea; e anche se in quel momento la cosa gli sembrava *assurda (estranea / incredibile)* e inspiegabile, sentiva che doveva portarla a *termine*.

Verso *sera* arrivarono sul punto più *alto* dei colli, e lì, a sangue *freddo*, il contadino uccise il suo rivale, senza avere però il coraggio di guardarlo *in faccia*.

La sera, ritornò *a casa* triste e *sconsolato (pensoso / preoccupato)*. Fra lo stupore della *moglie* e dei figli ripeteva con *insistenza (ossessione)* di non essere *degno* di loro, di non essere né un buon *marito (padre)* né un buon *padre (marito)*, perché quel giorno *era uscito* da solo e li aveva lasciati *soli*.

La mattina dopo la polizia lo *arrestò*.

* * *

6. IL CARCERATO

(da *Uscita di sicurezza* di I. SILONE)
pagg. 387-391.

A. COMPRENSIONE DEL TESTO

1. **Informazioni specifiche**

1. L'immagine penosa di un uomo scalzo e cencioso ammanettato fra due carabinieri. - 2. E' seduto sulla soglia di casa e legge il sillabario. - 3. Si mette a ridere. - 4. Il padre è scontento delle risa del bambino; lo rimprovera aspramente e prendendolo per un orecchio lo porta nella sua camera. - 5. Perché ascoltando i discorsi dei "grandi" comprenda i problemi reali della vita. - 6. E' accusato di aver rubato qualcosa al suo padrone.

B. ANALISI LESSICALE E LINGUISTICA

1. **Sinonimi**

- ballo	*danza (r.3)*	- comico	*buffo* (r.9)
- lacero	*cencioso* (r.1)	- spartire	*condividere* (r.13)
- fannullone	*vagabondo* (r.37)	- abbinamento	*accoppiamento* (r.27)
- dolorante	*indolorito* (r.20)	- duramente	*severamente* (r.17)
- canzonare	*deridere* (r.21)	- accusato	*incolpato* (r.34)

2. **Riformulazioni**

* *Ecco una possibile riscrittura del testo in questione! In corsivo sono le parole ed espressioni inserite:*

Quella stessa sera, *anziché* mandarmi *a dormire* all'ora *solita*, mio padre mi *portò* con sé in piazza, cosa che gli *capitava di rado*; e invece di *rimanere*, come *sempre*, con i suoi amici *dal lato* della Società di Mutuo Soccorso, andò a sedersi ad un tavolino, *di fronte* al Caffè dei "galantuomini", dove *alcune persone* si godevano il fresco dopo la giornata *torrida*.

3. Famiglia di parole

1. *manovale* - 2. *manovra* - 3. *maniglia* - 4. *maniche* - 5. *manesco* - 6. *maneggia* - 7. *manciata* - 8. *manuale* - 9. *mancia* - 10. *maniche*

4. Funzioni comunicative: dare ordini

1. Le cicche non *si devono gettare (o non vanno gettate)* per terra. - 2. Non si *devono fare (non vanno fatte)* promesse se non si è sicuri di mantenerle. - 3. Qui non si *deve fumare*! - 4. Non si *devono attraversare (Non vanno attraversati o Non attraversare)* i binari! - 5. Non si *deve disturbare (o non va disturbato)* chi dorme! - 6. Non si *deve criticare (o non va criticato o non criticare)* ciò che non si conosce. - 7. Non si *deve sparare* agli animali protetti. - 8. Non si *deve sparlare* degli assenti.

* * *

7. IDEE D'UN NARRATORE SUL LIETO FINE

(da *Narratori delle pianure* di G. CELATI)
pagg. 396-400

A. COMPRENSIONE DEL TESTO

1. Informazioni specifiche

* *Quello proposto è solo un esempio delle possibili risposte che si possono dare alle domande sul testo proposte nel manuale.*

1. Il farmacista era famoso e per questo veniva rispettato nel suo paese e nei dintorni non solo per la sua abilità nella cura di malattie e per le nuove invenzioni dirette a migliorare le condizioni di vita dei paesani, ma anche per la sua attività letteraria, la quale suscitava curiosità tra le persone delle campagne.
2. Il farmacista accetta di dare lezioni private alla figlia del proprietario del caseificio perché aveva una grande passione per lo studio.
3. La relazione amorosa tra il farmacista e la sua allieva fu scoperta dalle suore del collegio dove la ragazza studiava, grazie ad un pacco di lettere inviate dal farmacista innamorato.
4. I fratelli della ragazza, appartenenti alle squadracce fasciste, distrussero a più riprese la farmacia e bastonarono il farmacista per rovinarlo e costringerlo a lasciare il paese.

5. Si chiuse nella sua biblioteca a studiare e soprattutto a riscrivere con una conclusione lieta i finali di molti romanzi.
6. L'ha scoperto una nipote che aveva ereditato la grande biblioteca del farmacista.

B. ANALISI LINGUISTICA

1. Riformulazioni

* *In corsivo sono indicate le parole ed espressioni alternative alle originali:*
1. Il proprietario di un caseificio *nei dintorni (vicinanze)* ha deciso di *assumere l'anziano studioso*, perché *impartisse lezioni private sulle materie del liceo a* sua figlia.
2. Quest'ultima *odiava* i libri, il latino e la buona prosa in italiano.
3. Qualcuno parla ancora di lunghe *gite (o passeggiate)* dei due per le campagne, e addirittura di *incontri* notturni in una stalla.
4. Il contenuto di quelle lettere *sembrava scandaloso (riprovevole) al* proprietario del caseificio.
5. Non usciva più di casa se non *di rado (qualche volta).*
6. *Una vecchia domestica* che era tornata a prendersi cura di lui, si lamentava con tutti.
7. Stava *attaccando (o incollando)* una striscia di carta sull'ultima pagina di un libro.
8. Molti dei suoi ultimi giorni di vita devono *essere stati dedicati* alla riscrittura dell'ottavo capitolo della terza parte di Madame Bovary.

2. L'imperfetto

a. *Riscrittura del brano scegliendo come tempo base della narrazione il passato remoto:*

Ad ogni modo, la prova dei rapporti amorosi tra i due, nell'ultimo scorcio dell'estate, *venne* alla luce solo nell'inverno successivo, quando un pacco di lettere *venne (o fu) requisito* alla ragazza dalle suore del suo collegio, e debitamente trasmesso ai genitori. Il contenuto di quelle lettere *apparve* tanto rivoltante agli occhi del proprietario del caseificio, che costui *decise* di rovinare il farmacista e di cacciarlo per sempre dal paese.

I fratelli della ragazza, allora appartenenti alle squadre fasciste, *devastarono* più volte la farmacia sulla piazza del paese, e una volta *bastonarono* duramente il suo proprietario.

Tuttavia questi fatti non sembra abbiano preoccupato molto il farmacista. Per un certo periodo egli *continuò* a ricevere i clienti nella farmacia devastata, tra i vetri rotti, scaffali demoliti, vasi fracassati; poi un bel giorno *chiuse* bottega e *si ritirò* tra i suoi libri, senza più uscire di casa se non occasionalmente.

Tutto il paese lo sapeva immerso nei suoi studi, e lo vedeva di tanto in tanto passare sulla piazza sorridente, diretto all'ufficio postale per ritirare i nuovi libri che gli erano arrivati.

b. *Tra parentesi quadre è indicato il valore dell'imperfetto.*

1. La prova dei rapporti amorosi tra i due, nell'ultimo scorcio dell'estate, veniva [*storico*] alla luce solo nell'inverno successivo, quando un pacco di lettere era requisito [*storico*] alla ragazza dalle suore del suo collegio. (G. Celati)
2. Sempre più magro usciva [*iterativo*] di casa molto raramente e mostrava [*descrittivo*] di non riconoscere più nessuno in paese. (G. Celati)
3. Sono sorprese da fare? - Arrivavo [*conativo*] prima io della lettera se te la scrivevo [*ipotetico*]. (V. Pratolini)
4. Erano [*conativo*] lì lì per azzuffarsi.
5. La luce saliva dal mare, scendeva [*descrittivo*] dal cielo, brillava [*descrittivo*] nell'aria. Il mare era [*descrittivo*] quieto e sicuro, solo un tremante margine di spuma sul lido tradiva [*descrittivo*] il suo piacere di vivere. (M. Bontempelli)
6. Se la incontrava [*ipotetico*], vedendola di lontano, cambiava [*ipotetico*] marciapiede. (V. Pratolini, Metello)
7. Per poco non mi prendevo [*conativo*] una storta con questi tacchi. (C. Cassola)
8. La gioia di questo monumento, in questa piazza miracolosa, è nella sua altezza famigliare. Un palmo più basso ne scapitava [*ipotetico*] la solennità, un palmo più alto denunciava [*ipotetico*] la poca altezza dei due palazzi laterali. (A. Baldini)
9. Egli sorrise, teneva [*descrittivo*] le mani dietro la testa e lei continuò. (V. Pratolini, Metello)
10. "Mi trovavo precisamente a Cimarra di Panispena, in quel punto dove hanno tagliato in mezzo l'Orto Botanico, quando a un tratto mi pareva [*onirico*] di sentire scoccare dal cielo sopra Santa Maria Maggiore una terribile modulazione, ben nota, quella di un proiettile di cannone che solca l'aria. Sentivo [*onirico*] il cuore serrarmisi, come spesso accade sul primo colpo, e, fra me dicevo [*onirico*]: "Ci siamo". Dopo qualche secondo un'esplosione si sentiva [*onirico*], ma molto in basso, verso Foro Trajano. Alla fine pensavo [*onirico*] ... - A questo punto mi sono svegliato". (A. Baldini)
11. A Gavirate, una volta, c'era [*ludico*] una donnina che passava [*di contemporaneità*] le giornate a contare gli starnuti della gente poi riferiva [*ludico*] alle amiche i risultati dei suoi calcoli e tutte insieme ci facevamo [*ludico*] sopra grandi chiacchiere. (G. Rodari)

12. "Bè?" fa l'uomo. "Venivo [*modestia*] a prendere l'altro fiasco - dice Pin - Questo è spagliato". (I. Calvino)
13. Sapevo che il mondo era [*di contemporaneità*] così. (I. Silone)
14. Il 3 agosto 1492 Cristoforo Colombo salpava [*storico*] dal porto di Palos.
15. Quando veniva ritrovato [*storico*] morto nella sua biblioteca (da un idraulico) era [*descrittivo*] già identico a uno scheletro. (G. Celati)

* * *

8. IL TRENO HA FISCHIATO

(da *Novelle per un anno* di L. PIRANDELLO)
pagg. 401-407.

A. COMPRENSIONE DEL TESTO

1. Informazioni specifiche

* *Esempio di possibili risposte alle domande sul testo di Pirandello*:

1. La vicenda di Belluca è raccontata da un suo vicino di casa.
2. Belluca si trova in un manicomio.
3. Belluca faceva il computista (= ragioniere)
4. In casa di Belluca vivevano in tutto 13 persone: Belluca, la moglie, la suocera e la sorella della suocera, le loro due figliole con quattro figli l'una, e con tre figli l'altra.
5. Belluca si era trovato un altro lavoro che svolgeva la sera in casa: ricopiava delle carte, mentre di giorno lavorava come ragioniere in un ufficio.
6. L'atmosfera in casa di Belluca era davvero infernale: urla, pianti, inseguimenti, zuffe, liti.
7. L'improvviso cambiamento di vita di Belluca è stato determinato dal fischio di un treno che gli ha fatto riscoprire l'esistenza di un mondo diverso da quello angusto e angosciante della sua casa e della sua computisteria.

B. ANALISI LESSICALE E LINGUISTICA

1. Sinonimi

- aprire	→	*spalancare* (r.52)	- carcere	→	*prigione* (r. 4)
- urlare	→	*strillare* (r. 8)	- sfamare	→	*dar da mangiare* (r.13)
- lite	→	*zuffa* (r.18)	- vita	→	*esistenza* (r. 8)
- prima	→	*avanti* (r.43)	- troppo	→	*eccessivo* (r.44)
- ragioniere	→	*computista* (r.12)	- fantasia	→	*immaginazione* (r.65)
- esagerare	→	*eccedere* (r.77)	- sconosciuto	→	*ignoto* (r.66)

2. Polisemia

- **fisso** (r.7) → fermo, immobile [b]
- **mobile** (r.18) → oggetto d'arredamento [b]
- **volta** (r. 22) → turno [c]
- **partita** (r. 83) - registrazione di conti [a]
- **profondo** (r. 45) - totale [c]

3. Tempi verbali

L'imperfetto, usato nella prima parte del brano, serve a descrivere la situazione in casa di Belluca. L'imperfetto "fotografa" una situazione drammatica e la restituisce al lettore così come era in un certo momento passato.
Il trapassato prossimo della seconda parte serve ad indicare che gli eventi narrati sono antecedenti rispetto al momento in cui Belluca ha raccontato al vicino di casa la sua esperienza.

4. Discorso diretto

* *In corsivo sono scritte le parole modificate rispetto al testo orignale.*

Assorto nel continuo tormento di *questa mia* sciagurata esistenza, assorto tutto il giorno nei conti del *mio* ufficio, senza mai un momento di respiro, come una bestia bendata, aggiogata alla stanga d'una noria o d'un molino, sissignore, *mi ero dimenticato* da anni e anni - ma proprio dimenticato - che il mondo esisteva.

Due sere *fa, buttandomi* a dormire stremato su quel divanaccio, forse per l'eccessiva stanchezza, insolitamente, non *mi è riuscito d'addormentarmi*. E, d'improvviso, nel silenzio profondo della notte, *ho sentito*, da lontano, fischiare un treno.

Mi è parso che gli orecchi dopo tant'anni, chi sa come, d'improvviso *mi si* fossero sturati.

Il fischio di quel treno *mi ha squarciato* e portato via d'un tratto la miseria di tutte quelle orribili angustie, e quasi da un sepolcro scoperchiato *mi sono ritrovato* a spaziare anelante nel vuoto arioso del mondo che *mi si spalancava* enorme tutt'intorno.

Mi sono tenuto istintivamente alle coperte che ogni sera *mi buttavo* addosso e *sono corso* col pensiero dietro quel treno che s'allontanava nella notte.

5. **Aggettivi**

* *Attr = Attributo; Nec = Necessario; Esp = Espansione; Pred. = predicativo*

1. [Attr - Nec.] - 2. [Attr. - Esp.] - [Attr. - Nec.] - [Attr. - Esp.] - [Attr.- Nec.] - 3. [Attr. - Esp.] - [Attr. - Nec.] - 4. [Pred. - Nec.] - [Attr. - Nec.] - 5. [Pred. - Nec.] - 6. [Attr. - Esp.] - [Attr. - Esp.] - 7. [Pred. - Nec.] - 8. [Attr. - Esp.] - 9. [Pred. - Nec.] - [Attr. - Nec.]

C. ANALISI STILISTICA

* *Ecco alcuni esempi delle scelte stilistiche operate da Pirandello*!

a. **Ripetizioni**: (r.35) magari... magari - (r. 41) s'era dimenticato ... proprio dimenticato - (r.55) C'era eh c'era... c'era - (r.56) tanto ... tanto ... tante - (r.58-59) sapeva la vita che vi si viveva. La vita ... che vi aveva vissuto - (r.59-60) seguitava ... aveva seguitato - (r.66) poteva ... ecco poteva... - (r. 68) questo stesso brivido ... questo stesso palpito... - (r.69) tanti e tanti milioni - (r.71) sì sì, le vedeva, le vedeva, le vedeva così ... - (r.84) oppure oppure.

b. **Intercalari**: (r.28) ebbene - (r.31) sì - (r.47) chi sa come - (r.55) ah - (r.58) certo - (r. 64, 66) ecco - (r.69) ora - (r.71, 84) sì, sì - (r.84) oppure oppure

c. **Frasi nominali**: (r.6) queste due, vecchissime, per cataratta; l'altra, la moglie, senza cataratta, cieca fissa: palpebre murate.
(r.17) Letti ampii, matrimoniali; ma tre.

(r. 67) Questo stesso brivido, questo stesso palpito del tempo.
(r. 77-78) Tutto il mondo, dentro d'un tratto: un cataclisma.

d. **Inversioni**: (r.28) A Belluca era accaduto un fatto naturalissimo
(r.45) E, d'improvviso, nel silenzio profondo della notte, aveva sentito, da lontano, fischiare un treno.

e. **Appelli al pubblico**: (r.13) poteva Belluca dar da mangiare a tutte quelle persone?
(r.28) Ebbene, signori, ...
(r.32) Signori, Belluca, s'era dimenticato...
(r. 86) Si fa in un attimo, signor Cavaliere mio

* * *

Sezione VIII RIFLESSIONE E INTROSPEZIONE

1. LA LIBERTÀ

(da *In quel preciso momento* di D. BUZZATI)
pagg. 410-415

A. COMPRENSIONE DEL TESTO

1. Informazioni specifiche

b. pesce - *animale, pesciolino, lui, bestiola, animaletto.*
vaso - *vasetto, casa, prigione, boccia, carcere, buco.*

2. Sintesi

* *In corsivo sono le parole inserite per completare il testo.*

Un giorno un signore comprò al mercato *un pesce (un pesciolino)* dentro un vaso di vetro *trasparente e* se lo portò a casa. Fece poi *costruire* una bella vasca nel *giardino* e quando fu *pronta (preparata)* vi mise il pesce con *il vaso* perché si adattasse gradatamente alla *temperatura* dell'acqua della vasca e alla nuova e vasta *libertà.*

Difatti, il pesce, dopo i primi *timidi (incerti)* tentativi cominciò a *scorribandare (correre / scorrazzare)* beato per tutta la *vasca.* E questo durò per due *giorni.* Al terzo, il padrone *lo* vide rintanato in quel vaso che *era stato* prima la sua prigione e così *l'indomani* e il giorno dopo. Allora, *rivolto (rivolgendosi)* al pesce, gli domandò perché mai *preferisse (volesse)* restare in quell'angusto *vaso (spazio)* invece di correre libero per *la vasca.* Il pesce -che *contrariamente* a quanto molti credono, non è *muto*, anche se non riesce a *pronunciare (dire)* la erre- rispose che finalmente era *felice*, ma non perché *fosse* libero ma perché aveva *la possibilità* di usare la libertà.

B. ANALISI LINGUISTICA E LESSICALE

1. Modi di dire

a.

1. restare di sasso	= *rimanere di stucco, essere deluso*
2. dare di testa	= *sbattere il capo*
3. passare il segno	= *superare ogni limite*
4. far cadere le braccia	= *scoraggiare, perdersi d'animo, di coraggio*
5. correre a destra e a manca	= *girare senza meta*

b. 1. Sta bene in salute. - 2. Mi sento a disagio; non sono nel mio ambiente. - 3. Non ho più una mia identità sociale. - 4. Non so proprio che cosa fare. - 5. Nuoti molto bene! - 6. Pronto ad approfittare. - 7. Chi aspetta o non si impegna perde l'occasione buona.

2. Sinonimi

- bugia	*fandonia* (r.38)	- succedere	*avvenire*
- scappare	*evadere* (r.5)	- mettere	*deporre* (r.19), *rovesciare* (r.9), *calare* (r.12)
- pensare	*venire in mente* (r.9)	- due	*paio* (r.24)
- soldi	*quattrini* (r.34)	- interessare	*importare* (r.36)

3. Presente indicativo

1. *traggo* - 2. *riempio* - 3. *compaiono* - 4. *dispongo* - 5. *colgo* - 6. *tengo* - 7. *progredisce* - 8. *disfo*

4. La particella pronominale "ne"

1. pronominale: rimanda a *nuotare* - 2. rafforzativo - 3. pronominale: rimanda ad *essere libero* - 4. pronominale: rimanda a *libertà* - 5. avverbiale: rimanda a *vaso* - 6. pronominale: rimanda a *consolazione*

5. Riformulazioni

* *Si tratta di esemplificazioni: sono, infatti, possibili anche altre riformulazioni delle frasi.*

1. Non si parlava affatto di nuotare, anche se là dentro l'animale stava stretto.
2. Dopo che il vaso fu deposto sul fondo, il pesce continuò per qualche tempo a sbattere sul vetro, poi risalito casualmente all'imboccatura del vaso, trovò ancora acqua. Si affacciò timidamente ed infine cominciò a scorribandare da una parte all'altra della vasca, dal momento che non incontrava ostacoli di alcun genere.
3. E' una fandonia che i pesci siano muti: in realtà in loro si sente soltanto una certa difficoltà a pronunciare la erre.

* * *

2. LA PANTOFOLA SPAIATA

(da *Palomar* di I. CALVINO)
pagg. 416-421

A. COMPRENSIONE DEL TESTO

1. **Analisi e riflessione**

Premessa: Il testo di Calvino è così denso di significati e riflessioni da offrire lo spunto a più considerazioni e discussioni, anche su temi complessi ed impegnativi, come il senso del "destino" o della causalità nella storia dell'individuo, o il significato di ogni evento, sia esso piccolo o insignificante o macroscopico e universale.

Qui ci limitiamo ad offrire qualche esempio di interpretazione sommaria e sintetica con la quale confrontarsi. Invitiamo, tuttavia, l'allievo a svolgere sue considerazioni e a scoprire i diversi sensi impliciti o collegati alle ipotesi avanzate da Palomar.

1. I ipotesi: *un altro uomo sta camminando in quel paese d'Oriente con un paio di pantofole spaiate.*
II ipotesi: *Forse nel mucchio del vecchio mercante ci sono ancora le due pantofole da appaiare alle due comprate da Palomar.*
III ipotesi: *Il vecchio mercante ha dato di proposito a Palomar le due pantofole spaiate per rimediare ad un precedente errore.*

2. "*Ogni processo di disgregazione dell'ordine del mondo è irreversibile, ma gli effetti vengono nascosti e ritardati dal pulviscolo dei grandi numeri che contiene possibilità praticamente illimitate di nuove simmetrie, combinazioni, appaiamenti*". Le conseguenze di un errore, come ad esempio quello commesso dal vecchio mercante di pantofole, possono aversi in epoche diverse o in luoghi lontani.

3. Palomar si sente solidale con l'ignoto compagno di sventura e lo dimostra continuando a portare le pantofole spaiate. Il disagio e la sofferenza che prova camminando con quelle pantofole vogliono essere una forma di conoscenza della sofferenza altrui e allo stesso tempo una specie di condivisione del dolore che un altro uomo, forse, in un altro luogo sta vivendo o in un'altra epoca ha vissuto o vivrà.

4. Gli eventi relativi alla disavventura di Palomar -acquisto delle pantofole, loro prova e scoperta che sono spaiate- sono narrati al presente. Qui, il presente ha un valore storico: colloca gli eventi in un tempo realmente o figurativamente lontano rispetto al tempo del lettore.
Anche la prima ipotesi è al presente: essa è contemporanea al momento in cui Palomar la formula: egli immagina che in qualche altra parte del mondo c'è, in quel momento, un altro uomo che, come lui, cammina con due pantofole spaiate.
La seconda ipotesi è al futuro in quanto Palomar prefigura gli effetti che il suo errore avrà in un tempo successivo.
La terza ipotesi è al passato: qui, oltre al periodo ipotetico espresso al congiuntivo e al condizionale, lo scrittore usa anche l'imperfetto indicativo che dà all'ipotesi un valore realistico.

B. ANALISI LESSICALE E TESTUALE

1. Coesione testuale

1. calzatura	rimanda	a →	*pantofola*
2. valanga	"	a →	*mucchio*
3. mercante	"	a →	*venditore*
4. bottega	"	a →	*bazar*
5. merci	"	a →	*pantofole, scorte*
6. scompagnate	"	a →	*spaiate*

2. Iperonimi

1. calzatura - 2. bottega - 3. venditore - 4. posata - 5. mobile - 6. pasto - 7. pianeta - 8. cancelleria - 9. capo d'abbigliamento - 10. elettrodomestico - 11. gioco di carte - 12. cappello

3. **Riformulazioni**

* *Anche quelle proposte sono possibili riformulazioni:*

1. Lo vede frugare nel mucchio alla ricerca di una pantofola adatta al suo piede. - 2. Dopo che è tornato a casa, prova a calzarle [o anche: Torna a casa e prova a calzarle]. - 3. Alla sua morte la bottega con tutte le merci passerà ai suoi eredi. - 4. Se si cercherà nel mucchio si troverà sempre una pantofola da appaiare ad un'altra pantofola. - 5. Vede che una smilza ombra percorre il deserto e zoppica.

4. **Sequenza logica**

* *L'ordine corretto dei pezzi di frase è il seguente:*

1. **n**	2. **h**	3. **d**	4. **q**	5. **b**	6. **g**	7. **t**	8. **l**	9. **r**
10. **a**	11. **s**	12. **f**	13. **m**	14. **e**	15. **p**	16. **i**	17. **c**	18. **o**

C. ANALISI LINGUISTICA

1. **La frase temporale con "finché"**

1. **Finché** il mercante non avrà esaurito le sue scorte, si troverà sempre una pantofola spaiata. - 2. Belluca copiava le carte fino a tarda notte, **finché** la penna non gli cadeva di mano. - 3. Fiorella rimase ad ascoltarmi **finché** non l'ebbi convinta a lasciare quel lavoro. - 4. Aspetteremo **finché** non smetterà di piovere. - 5. Sfogliò il libro, **finché** l'occhio non cadde su quella foto. - 6. Ha studiato tutta la sera, **finché** non si è addormentata su una pagina. - 7. Non potrai votare **finché** non avrai compiuto diciotto anni. - 8. Non posso pagarti, **finché** non avrò preso lo stipendio.

* * *

3. IL SENO NUDO

(da *Palomar* di I. CALVINO)
pagg. 424-430

B. ANALISI LESSICALE E LINGUISTICA

1. **Suffissi**

a. 1.polleria: *negozio in cui si vendono polli e altri animali da cortile.*
2. coltelleria: *luogo in cui si vendono o si producono o si affilano coltelli, forbici e lame in genere.*
3. cremeria: *latteria in cui si vendono gelati, panna montata e simili.*
4. pelletteria: *luogo in cui si vendono o producono oggetti in pelle, come borse, cinture ecc...*
5. tabaccheria: *negozio in cui si vendono oltre ai prodotti per il fumo, come sigari, sigarette, pipe e fiammiferi, anche sale e francobolli.*
6. armeria: *luogo dove si vendono o si producono armi.*
7. macelleria: *negozio in cui si vende la carne.*
8. norcineria: *bottega in cui si macellano maiali, se ne lavorano le carni e le si vendono.*
9. minuteria: *indica il luogo in cui si vendono oggetti piccoli, ma anche l'insieme di oggetti piccoli.*
10. conceria: *luogo dove si trattano le pelli degli animali.*

b. Ecco una lista, più ampia di quella richiesta, di termini indicanti botteghe o luoghi di produzione:

Bigiotteria, birreria, camiceria, calzoleria, cartoleria, erboristeria, falegnameria, frutteria, gelateria, gioielleria, latteria, libreria, maglieria, maniglieria, merceria, oreficeria, orologeria, panetteria, parrucchieria, pasticceria, pellicceria, pescheria, pizzeria, pizzicheria, profumeria, rosticceria, salumeria, segheria, spaghetteria, tappezzeria, utensileria, valigeria.

c. - spavalderia: da **spavaldo**, indica l'azione o la caratteristica di chi è spavaldo.
- spacconeria: da **spaccone**; azione o parole da spaccone, di persona, cioè, troppo sicura di sé, che si attribuisce qualità eccezionali.
- tirchieria: da **tirchio**; indica il comportamento tipico della persona così attaccata al denaro da non volerlo mai spendere per gli altri.

- furfanteria: da **furfante**; indica l'azione propria di un furfante, di una persona cioè capace di azioni disoneste.
- cretineria: da **cretino**; indica l'azione o il discorso fatto da una persona cretina o stupida.
- ghiottoneria: da **ghiotto**; indica un cibo molto buono e saporito e anche l'essere goloso.
- spilorceria: da **spilorcio**; come per tirchieria indica l'attaccamento morboso al denaro.
- buffoneria: da **buffone**; indica l'azione o il discorso di un buffone o di una persona poco seria.
- sciatteria: da **sciatto**; indica negligenza, trascuratezza, e l'azione della persona sciatta, disordinata.
- fesseria: da **fesso**; indica uno sbaglio o un errore banale, e anche lo stato di una persona considerata stupida e sciocca (fessa).

2. Discorso indiretto libero

Lo scrittore nel seguire il filo dei pensieri di Palomar ora li propone in terza persona, assumendo una posizione esterna al racconto, ora li presenta in prima persona assumendo il punto di vista del protagonista. Le parti in prima persona si hanno alle righe 14-21, 28-36 e 46-52 del testo di Calvino. Il passaggio da un punto di vista esterno ad uno interno, mentre movimenta sul piano linguistico il testo, finisce per catturare e coinvolgere il lettore nelle argomentazioni di Palomar. Chi legge, infatti, ha l'impressione di risalire alla fonte dei pensieri, sentire quasi dalla viva voce di Palomar quali considerazioni ha effettivamente fatto quando passava davanti a quella bagnante stesa sulla sabbia a seno nudo.

C. ANALISI TESTUALE

1. I connettivi

1. *perché*: indica il motivo per cui è vero quanto è detto nella frase principale.
2. *perciò*: introduce la conseguenza di quanto è stato affermato o raccontato prima.
   appena: indica la circostanza temporale in corrispondenza della quale si è verificato l'evento principale.
   in modo che: introduce l'evento conseguente al primo.
3. *però*. introduce un'avversativa
   così: vuol dire in questo modo, vale a dire nel modo indicato in precedenza.
   cioè: introduce una precisazione.
   ossia: spiega e corregge quanto detto prima.

4. *insomma*: introduce una conclusione.
   che: collega la frase che fa da oggetto (oggettiva) al predicato (verbo) reggente.
5. *e*: aggiunge un'informazione a quanto già detto.
   in modo che: indica la conseguenza.
6. *sì che*: in un modo tale per cui..., introduce la consecutiva.
7. *e*: collega i due eventi indicati dai due verbi.
8. *ma*: introduce un dubbio.
   o: introduce un'alternativa alla domanda precedente.
9. *però*: introduce una frase, in questo caso un'ipotesi, che contrasta con quella precedente.
10. *ecco che*: collega a quanto detto prima e rafforza quanto viene detto subito dopo.
11. *tuttavia*: introduce un evento che accade nonostante le difficoltà reali o supposte.
12. *ma appena*: introduce la circostanza di tempo durante la quale si verifica l'evento principale: l'improvviso alzarsi della bagnante. Il *ma* avversativo sottolinea l'imprevedibilità dell'evento che segue.

* * *

4. UNA RAGAZZA O UNA ZITELLA?

(da *E forse l'amore* di G. BERTO)
pagg. 431- 435

A. COMPRENSIONE DEL TESTO

1. Informazioni specifiche

1. I protagonisti sono una ragazza di trentasette anni ed un signore sulla trentina. Viaggiano insieme nello stesso scompartimento di un treno.
2. L'attenzione della ragazza è attratta dagli sguardi di discreto interesse del signore seduto vicino al finestrino.
3. E' combattuta tra il desiderio di essere guardata dal misterioso signore e l'imbarazzo che quello stesso desiderio provoca in lei, per natura, molto schiva e severa con se stessa.
4. E' una ragazza molto severa con se stessa, controllata anche nei propri pensieri e sentimenti, per questo si riteneva una ragazza "onesta", non facile cioè alle avventure o a comportamenti che contraddicessero l'idea che lei aveva dell'essere donna. Ma questo suo atteggiamento schivo e

riservato e così poco socievole, la portava a considerarsi una "zitella", condannata a rimanere orgogliosamente sola, priva di quel fascino o di quel modo di essere che poteva suscitare un certo interesse negli uomini.

2. **Sintesi**

* *Ecco il testo completo delle parole e della punteggiatura mancante. In corsivo sono le parole inserite!*

Di una cosa era *assolutamente* sicura: non era bella, ma lo strano *interesse* dello sconosciuto seduto di fronte a lei, fece *cadere (vacillare)* quella certezza. Le sembrava che gli occhi di lui la *guardassero (scrutassero)* in maniera diversa *dagli* altri anche se non insistentemente o *continuamente (o sfacciatamente)*; non sapeva bene quando aveva cominciato ad *interessarsi* a lei ma aveva *sentito (notato / avvertito)* il suo sguardo su di sé per *ben* tre volte. Combattuta *tra* il desiderio di essere guardata e la voglia di provare quel desiderio temette infine di essere *ridicola* e data la giovane età del ragazzo finì con *l'abbassare* lo sguardo sulla borsa che teneva sulle ginocchia.

B. ANALISI LINGUISTICA E TESTUALE

1. **Sinonimi**

a. sfrontato	= *arrogante, impertinente, sfacciato, spudorato*
b. cauto	= *attento, diffidente, equilibrato, misurato, prudente*
c. risoluto	= *deciso, energico, determinato, fermo*
d. disagiato	= *infastidito, scomodo, indigente, povero, indisposto*
e. intransigente	= *inflessibile, insofferente, intollerante, rigoroso*
f. caparbio	= *cocciuto, insistente, ostinato, rigido, testardo*

2. **La congiunzione "se"**

a. 1. "E' libero il posto?" - 2. "Hai preso tu le chiavi della macchina?" - 3. "Glielo dico a voce o per telefono?" - 4. "Chi mi avrà risposto? lui o l'altro?" - 5. "Si può raggiungere il centro storico con la macchina?" - 6. "Accetterà mai la nostra proposta?" - 7. "Ha accettato quella proposta?" - 8. "E' il caso di invitare anche il suo capufficio?"

b. 1. ipotetica - 2. interrogativa indiretta dubitativa semplice - 3. interrogativa indiretta dubitativa disgiuntiva - 4. interrogativa indiretta - 5. ipotetica - 6. interrogativa indiretta - 7. interrogativa indiretta dubitativa disgiuntiva.

5. LA NOTTE DEI NUMERI

(da *I racconti* di I. CALVINO)
pagg. 437-443)

B. ANALISI LESSICALE E TESTUALE

1. Aree semantiche

contabilità: *ragioniere - far tornare i conti - addizionatrice - numeri - macchine elettroniche - calcoli - libri mastri - registri - pallottoliere - lire - somma - miliardi - cervelli elettronici - azionisti - cifra - esportazioni - importazioni.*

abbigliamento: *pullover - visiera - camicia - cintura - giacca - cappotto - cappello.*

2. Parole omografe

* *Innumerevoli sono le frasi che si possono realizzare usando, con significati diversi, le parole suggerite. Quelle che seguono costituiscono solo un esempio. Provate comunque a costruire frasi diverse da quelle qui di seguito presentate.*

1. Carla e Franca sono andate al cinema da **sole**. - 2. Bisogna prendere in considerazione tutti gli **aspetti** del problema. - 3. Scusa, mi passi il **sale**? - 4. **Torno** volentieri in questa città dove ho frequentato l'università ed ho conosciuto mia moglie. - 5. Non devi accontentarti di così poco: occorre che tu **tenda** al massimo. - 6. Paola, se stasera sei a casa, **passo** da te per prendere gli appunti di filosofia. - 7. Mancano **sei** giorni alla fine della scuola. - 8. Ho fatto un **giro** in macchina per vedere tutto il litorale. - 9. In linea **retta** dista soltanto due chilometri dalla spiaggia. - 10. **Resto** qui ancora dieci minuti poi torno a casa.

3. Definizioni

a. fare lo straordinario: *lavorare dopo l'orario di lavoro stabilito.*
b. strizzare l'occhio: *stringere le palpebre dell'occhio in segno di intesa, ammiccare.*
c. a colpo sicuro: *con sicurezza e determinazione.*

d. andare a dire in giro: *raccontare a tutti.*
e. dare retta: *ascoltare e seguire i consigli di una persona autorevole.*

4. Riformulazioni

* *In corsivo sono le parole nuove.*

1. *A piè di* pagina la cifra del *totale è circondata da un segno* a matita rossa. - 2. Ed è certo di lì che *proviene* quell'odore di muffa. - 3. *Si è messo* a sedere *sopra* uno sgabello. - 4. E' come un labirinto di *passaggi (percorsi)* tutti uguali. - 5. Paolino non *riesce a vedere* bene, ma capisce *di trovarsi in un piccolo stanzino*. - 6. Ecco qui *un banale sbaglio* di 410 lire in una somma. - 7. Sei un ragazzo e nessuno *ti crederà (ti darà ascolto)*. - 8. *Girano inutilmente (funzionano male)* le macchine calcolatrici. - 9. Paolino *cerca di svuotare* il portacenere, ma il ragioniere sta fumando e posa la sigaretta sull'orlo proprio *in quel momento*.

C. ANALISI STILISTICA

1. Al bambino che gira per gli uffici il grande salone diviso in tanti box appare come un misterioso labirinto complicato. Il ragioniere curvo sulla macchina addizionatrice gli sembra un grosso uccello appollaiato e la visiera sembra il becco. Lo scantinato dove sono gli archivi della ditta, pieno di muffa, polvere e pile di scartafacci alte fino al soffitto, appare al bambino come un luogo incredibile e misterioso.

2. Le descrizioni e i fatti che coinvolgono i protagonisti del racconto, Paolino e il ragioniere, sono al presente. I fatti sono presentati come se si svolgessero sotto gli occhi del lettore nel momento stesso che li legge. Al passato prossimo sono le azioni viste come concluse rispetto al momento della narrazione o come lontane ma con conseguenze al presente, come è stato l'errore di Annibale De Canis.

Appendice

ATTIVITÀ DI COMPRENSIONE PRESENTI NELLE AUDIO-CASSETTE

Suddivisione dei testi nelle due audiocassette

Cassetta 1

lato A
1. *Vacanze in montagna* (N. GINZBURG)
2. *La bella sconosciuta* (A. CAMPANILE)
3. *Angelica* (G. TOMASI DI LAMPEDUSA)
4. *Il pozzo di Cascina Piana* (G. RODARI)

lato B
5. *Anche i treni bevono* (G. MANGANELLI)
6. *L'automobbile e er somaro* (TRILUSSA)
7. *Uno strano operaio* (L. ROMANO)
8. *Quando si è licenziati* (L. BIANCIARDI)

Cassetta 2

lato A
9. *I ricci e la raccolta delle mele* (A. GRAMSCI)
10. *Vi odio, cari studenti...* (P.P. PASOLINI)
11. *L'uomo dalla faccia di ladro* (A. CAMPANILE)
12. *Signori, una colletta per la benzina.*

lato B
13. *La lettera minatoria* (L. SCIASCIA)
14. *Il carcerato* (I. SILONE)
15. *La libertà* (D. BUZZATI)
16. *La pantofola spaiata* (I. CALVINO)

* * *

1. **VACANZE IN MONTAGNA** (di N. GINZBURG)

– Il protagonista del brano è il padre della scrittrice.

Di lui dite:
- come si preparava alle gite in montagna;
- qual era il suo umore il giorno dopo le gite;
- con chi faceva le sue "gite";
- che cosa rimproverava alla moglie;
- cosa voleva dire la parola "asino" nel suo linguaggio.
- L'altro personaggio di cui si parla è la madre.

Di lei indicate:
- Come reagiva alle "sfuriate" del marito;
- qual era il suo aspetto e modo di vestire in montagna.

2. **LA BELLA SCONOSCIUTA** (di A. CAMPANILE)

* *Concludete le seguenti informazioni*:

- Il narratore tornava da ....
- Ha visto per la prima volta la sconosciuta al ......
- Durante il viaggio l'ha rivista ......
- Il narratore era diretto a ....
- La signorina andava ....
- La sconosciuta era figlia di .....
- Il narratore si è poi sposato ....

* *Ascoltate e confrontate!*

- Il narratore tornava da un viaggio in Russia.
- Ha visto per la prima volta la sconosciuta al ristorante della stazione.
- Durante il viaggio l'ha rivista diverse volte.
- Il narratore era diretto a Roma.
- La signorina andava a Roma.
- La sconosciuta era figlia di un'amica della madre del narratore.
- Il narratore si è poi sposato con la bella sconosciuta.

3. **ANGELICA** (di G. TOMASI DI LAMPEDUSA)

* *Concludete le seguenti informazioni relative al testo ascoltato*!

- Angelica è ospite in casa ....
- Il suo arrivo provoca nel pubblico maschile..........
- Più di tutti è colpito dalla bellezza di Angelica .....
- Angelica aveva i capelli neri e gli occhi ....
- Quando entra nel salone Angelica prima di tutto va a rendere omaggio a ....

* *Ascoltate e confrontate con le vostre conclusioni*:

- Angelica è ospite in casa dei principi Salina.
- Il suo arrivo provoca nel pubblico maschile un grande stupore.
- Più di tutti è colpito dalla bellezza di Angelica Tancredi.
  Angelica aveva i capelli neri e gli occhi azzurri.
- Quando entra nel salone Angelica prima di tutto va a rendere omaggio alla principessa.

4. **IL POZZO DI CASCINA PIANA** (di G. RODARI)

Ora che avete ascoltato la fiaba dite:

- quando è accaduto il fatto.
- quali personaggi compaiono in questa vicenda.
- dove si trova la Cascina Piana.
- perché ogni famiglia della Cascina aveva una sola corda per attingere l'acqua dal pozzo.
- come va a finire la storia.

Ora ascoltate le risposte e confrontatele con le vostre!

- Il fatto è accaduto al tempo della seconda guerra mondiale.
- Un partigiano, un bambino, la madre del bambino e le donne e i vecchi delle undici famiglie.
- Cascina Piana si trova in Lombardia a metà strada tra Saronno e Legnano.
- Le famiglie non andavano d'accordo e per questo ognuna aveva una sua corda per attingere acqua dal pozzo.
- Aiutando tutte insieme il partigiano, le donne scoprono una forma di solidarietà, e quando il partigiano guarisce capiscono che non ha più senso odiarsi, e decidono allora di comprare insieme una corda per il pozzo.

5. ANCHE I TRENI BEVONO (di G. MANGANELLI)

* *Dite se le seguenti informazioni relative al testo sono vere o false.*

- Lo scrittore ricorda i treni della sua infanzia come solenni e nobili [Vero]
- I bambini venivano portati una volta all'anno a vedere i treni. [Falso]
- I treni di oggi appaiono come dei signori ben vestiti. [Falso]
- I treni di oggi sono uno spettacolo non educativo per i bambini. [Vero]
- I treni soffrono della concorrenza degli aerei. [Vero]
- Il viaggio in treno resta sempre un'esperienza indimenticabile nella vita di una persona. [Vero]
- L'amore per l'aereo è intramontabile. [Falso]

6. L'AUTOMOBBILE E ER SOMARO (di C. A. SALUSTRI detto TRILUSSA)

* *Ascoltate e ripetete!*

- Indove passi tu nasce un macello!
- Nun fiotta' tanto, faccia d'impunito!
- Nun sai che quann'io corro ciò la forza de cento e più cavalli?
- Nun permetto che 'na bestiaccia ignobbile s'azzardi de mancamme de rispetto!
- E mò? chi me rimorchierà fino ar deposito?

7. UNO STRANO OPERAIO (di L. ROMANO)

* *Concludete le informazioni che seguono*!

- Piero ha trovato lavoro in ....
- Il secondo giorno Piero ha mangiato, come gli altri operai, ...
- Il terzo giorno è rimasto ferito.......
- Tutti gli operai l'avevano scambiato per un vero ....
- Il capo officina interpreta la scelta di Piero come ....
- Piero è rimasto ammalato con la febbre per ....

* *Ora, ascoltate e confrontate la vostra conclusione:*

- Piero ha trovato lavoro in un'officina di apparecchiature elettriche.
- Il secondo giorno Piero ha mangiato, come gli altri operai, un cartoccio di pasta.
- Il terzo giorno è rimasto ferito ad un occhio.
- Tutti gli operai l'avevano scambiato per un vero operaio.
- Il capo officina interpreta la scelta di Piero come un capriccio di studente annoiato.
- Piero è rimasto ammalato con la febbre per diversi giorni.

8. QUANDO SI È LICENZIATI (di L. Bianciardi)

* *Dite se le seguenti affermazioni sono vere o false*:

- Il protagonista è stato licenziato prima delle vacanze. [Falso]
- Lui ha capito che l'avrebbero licenziato quando gli hanno cambiato la stanza. [Vero]
- Lo hanno messo in un grande ufficio insieme a tanti altri impiegati. [Falso]
- Quando ha lasciato la ditta tutti lo hanno salutato calorosamente. [Falso]
- L'amministrazione aveva deciso di dargli i soldi della liquidazione a rate. [Vero]

9. I RICCI E LA RACCOLTA DELLE MELE (di A. Gramsci)

* *Concludete le seguenti informazioni*!

- L'autore narra come i ricci .....
- Una sera lui e un suo amico si sono nascosti dietro ....
- Hanno visto cinque ricci: due ......
- Il riccio più grande e la moglie sono saliti ....
- I ricci per portare via le mele ....
- Mentre i ricci tornavano nella tana i due ragazzi li ....
- L'autore ha tenuto per sé il padre e due riccetti e gli dava da mangiare ....

* *Ora, ascoltate e confrontate le vostre conclusioni:*

- L'autore narra come i ricci raccoglievano le mele.
- Una sera lui e un suo amico si sono nascosti dentro un cespuglio.
- Hanno visto cinque ricci: due grandi e tre piccoli.
- Il riccio più grande e la moglie sono saliti sull'albero di mele.
- I ricci per portare via le mele si sono rotolati sulle mele infilzandole con gli aculei.
- Mentre i ricci tornavano nella tana i due ragazzi li hanno catturati.
- L'autore ha tenuto per sé il padre e due riccetti e gli dava da mangiare frutta e insalata.

10. **VI ODIO CARI STUDENTI** (di P. P. PASOLINI)

* * *

11. **L'UOMO DALLA FACCIA DI LADRO** (di A. CAMPANILE)

* *Rispondete alle seguenti domande:*

- Chi c'è nello scompartimento del treno insieme al protagonista?
- Che cosa trova di strano il protagonista nel compagno di viaggio?
- Perché il protagonista non può cambiare subito scompartimento come vorrebbe?
- Perché ogni tanto il protagonista si mette le mani in tasca?
- Perché tiene stretta a sé, sopra le ginocchia, la valigia?
- Quale idea diabolica gli viene in mente?
- Di chi è il portafogli che il protagonista ruba al suo compagno di viaggio?

* *Ascoltate e confrontate con le risposte che avete dato!*

- Chi c'è nello scompartimento del treno insieme al protagonista?
  Nello scompartimento insieme al protagonista c'è uno straccione.
- Che cosa trova di strano il protagonista nel compagno di viaggio?
  La faccia losca ed equivoca, deturpata da una lunga cicatrice.
- Perché il protagonista non può cambiare subito scompartimento come vorrebbe?
  Perché gli scompartimenti del treno non sono intercomunicanti.
- Perché ogni tanto il protagonista si mette le mani in tasca?
  Per far credere di avere una rivoltella in tasca.

– Perché tiene stretta a sé , sopra le ginocchia, la valigia?
Perché teme che il compagno di viaggio possa rubargliela.
– Quale idea diabolica gli viene in mente?
Pensa di derubare quel povero ladro.
– Di chi è il portafogli che il protagonista ruba al suo compagno di viaggio?
Si accorge, con grande sorpresa, che è il suo.

12. SIGNORI, UNA COLLETTA PER LA BENZINA
(da "Il Corriere della Sera")

* *Concludete le seguenti informazioni:*

– Il curioso incidente è accaduto ......
– L'aereo faceva ritorno ......
– L'aereo era rimasto ......
– Il personale dell'aeroporto di Puerto Santo non ha voluto fare credito .....
– Il comandate ha chiesto ai passeggeri di prestargli ....
– La colletta ha fruttato ......

* *Ascoltate e confrontate!*

– Il curioso incidente è accaduto su un aereo.
– L'aereo faceva ritorno in Inghilterra
– L'aereo era rimasto senza benzina.
– Il personale dell'aeroporto di Puerto Santo non ha voluto fare credito all'equipaggio.
– Il comandate ha chiesto ai passeggeri di prestargli tutto il denaro contante che avevano.
– La colletta ha fruttato 1200 sterline.

13. LA LETTERA MINATORIA (di L. SCIASCIA)

* *Concludete le seguenti informazioni relative al testo ascoltato!*

– Quella mattina il postino portò al farmacista insieme alle stampe pubblicitarie anche ....
– La lettera era strana perché ....
– Il postino dopo aver posato sul tavolo la posta, si fermò ed aspettò che il farmacista ....
– Secondo il postino quella lettera anonima trattava ....
– La lettera era stata scritta con ....
– Quando il postino vide che si trattava di una minaccia di morte ....

* *Ora confrontate con le vostre conclusioni*!

- Quella mattina il postino portò al farmacista insieme alle stampe pubblicitarie anche una lettera dalla busta gialla.
- La lettera era strana perché era stata impostata quella mattina stessa e aveva l'indirizzo ritagliato da un foglio intestato della farmacia.
- Il postino, dopo aver posato sul tavolo la posta, si fermò ed aspettò che il farmacista leggesse quella lettera.
- Secondo il postino quella lettera anonima trattava di cose di corna o conteneva minacce.
- La lettera era stata scritta con parole ritagliate da un giornale.
- Quando il postino vide che si trattava di una minaccia di morte quasi si risollevò.

14. IL CARCERATO (di I. SILONE)

* *Dite se le seguenti affermazioni relative al testo che avete ascoltato sono vere o false:*

- L'uomo arrestato camminava tra i due carabinieri a passo svelto. [Falso]
- L'uomo era stato arrestato perché aveva rubato al suo padrone. [Vero]
- Il bambino seduto sulla porta di casa, quando vide quella scena si mise a ridere. [Vero]
- Il padre rimproverò aspramente il figlio per la sua insensibilità. [Vero]
- La sera il padre portò, come al solito, il figlio alla Società di Mutuo Soccorso. [Falso]
- Il padre del bambino chiese al pretore informazioni sull'uomo arrestato. [Vero]

15. LA LIBERTÀ (di D. BUZZATI)

* *Ascoltate la seguente breve sintesi del racconto di Buzzati e ad ogni pausa suggerite la parola più appropriata ad integrare il testo:*

Un giorno un signore comprò al mercato un pesce .... Tornato a casa fece costruire nel giardino una .... Quando questa fu pronta ci mise il pesce con tutto il ...., perché il pesce potesse gradatamente acclimatarsi alla .... della vasca e anche alla nuova e vasta .... Quando il pesce, risalito per caso all'imboccatura del vaso, scoprì che lo spazio d'acqua continuava .... e cominciò a scorribandare felice per tutta la ....

Tre giorni dopo, quando il signore tornò a vedere il pesce rimase ...., perché lo vide rintanato nel vaso. E così avvenne l'indomani e il giorno .... Allora il signore perse la .... e chiese al pesce come mai preferisse starsene nel vaso piuttosto che nuotare libero per tutta la vasca. Ed allora il pesce .... e spiegò all'uomo che la vera libertà non sta nel fare ciò che si ...., ma nella possibilità di usare la ....

* *Ascoltate e confrontate!*

Un giorno un signore comprò al mercato un pesce *rosso*. Tornato a casa fece costruire nel giardino una *vasca*. Quando questa fu pronta ci mise il pesce con tutto il *vaso*, perché il pesce potesse gradatamente acclimatarsi alla *temperatura* della vasca e anche alla nuova e vasta *libertà*. Quando il pesce, risalito per caso all'imboccatura del vaso, scoprì che lo spazio d'acqua continuava *uscì* e cominciò a scorribandare felice per tutta la *vasca*.

Tre giorni dopo, quando il signore tornò a vedere il pesce nella vasca rimase *meravigliato*, perché lo vide rintanato nel *vaso*. E così avvenne l'indomani e il giorno *dopo*. Allora il signore perse la *pazienza* e chiese al pesce come mai preferisse starsene nel vaso piuttosto che nuotare libero per tutta la vasca. Ed allora il pesce *rispose* e spiegò all'uomo che la vera libertà non sta nel fare ciò che si *vuole*, ma nella possibilità di usare la *libertà*.

16. LA PANTOFOLA SPAIATA (di I. CALVINO)

* *Concludete le seguenti informazioni relative al testo che avete ascoltato:*

- Palomar in un viaggio in Oriente ha comprato un paio di pantofole ....
- Quando torna a casa si accorge che una pantofola è più larga e ....
- Palomar con la sua fantasia vede un uomo che nel deserto cammina zoppicando a causa .....
- Palomar pensando a questo ignoto compagno di sventura decide di ....
- Ma forse, pensa ancora Palomar, nel mucchio di pantofole del bazar, ci sono ancora...
- Alla fine a Palomar viene in mente che forse il vecchio commerciante ha fatto apposta a..........

  – *Ora ascoltate e confrontate!*

- Palomar in un viaggio in Oriente ha comprato un paio di pantofole in un bazar.
  Quando torna a casa si accorge che una pantofola è più larga e gli cade dal piede.

- Palomar con la sua fantasia vede un uomo che nel deserto cammina zoppicando a causa della calzatura troppo stretta o troppo larga.
- Palomar, pensando a questo ignoto compagno di sventura, decide di continuare a portare le pantofole per solidarietà.
- Ma forse, pensa ancora Palomar, nel mucchio di pantofole del bazar, ci sono ancora due pantofole spaiate.
- Alla fine a Palomar viene in mente che forse il vecchio commerciante ha fatto apposta a vendergli le pantofole spaiate, per riparare ad un precedente errore.

INDICE GENERALE

Appunti

Appunti

Appunti

Appunti

Finito di stampare
nel mese di novembre 1994
da Guerra guru - Perugia